文化
教育卷

新青年
LA JEUNESSE

张宝明 主编　张 剑 副主编

9

新文化元典
丛书

河南文艺出版社

图书在版编目(CIP)数据

新青年.文化教育卷/张宝明主编.—郑州：河南文艺出版社,2016.5(2025.1重印)
(新文化元典丛书)
ISBN 978-7-5559-0346-8

Ⅰ.①新… Ⅱ.①张… Ⅲ.①期刊-汇编-中国-民国 Ⅳ.①Z62

中国版本图书馆CIP数据核字(2015)第286618号

总策划	王国钦
策　划	邵　玲
责任编辑	邵　玲
美术编辑	吴　月
责任校对	殷现堂
装帧设计	张　胜

出版发行	河南文艺出版社
本社地址	郑州市郑东新区祥盛街27号C座5楼
承印单位	河南省四合印务有限公司
经销单位	新华书店
纸张规格	640毫米×960毫米　1/16
印　张	16.75
字　数	180 000
版　次	2016年5月第1版
印　次	2025年1月第5次印刷
定　价	32.00元

版权所有　盗版必究
图书如有印装错误，请寄回印厂调换。
印厂地址　焦作市武陟县詹店镇詹店新区西部工业区凯雪路中段
邮政编码　454950　　电话　0391-8373957

出版说明

一、为纪念《新青年》（原名《青年杂志》）创刊100周年，本社特别策划出版"新文化元典丛书"。

二、本丛书由著名学者张宝明主编并提供稿本，由本社分"平装普及"与"精装典藏"两个版本先后出版。"普及版"以大众阅读为目标，分为"政治卷""思潮卷""哲学卷""文学创作卷""文学批评卷""文字卷""翻译卷""青年妇女卷""文化教育卷""随感卷"10卷；"典藏版"以学者研究为指归，延续了本社1998年版《回眸〈新青年〉》的版本形式，分为"哲学思想卷""社会思潮卷""语言文学卷"3卷。

三、本丛书在编辑过程中，对文章内容(包括当时特殊的语言、语法使用，习惯性虚词、数字、异体字用法，对外文中人名、地名的个性化翻译等)及作者署名均以其原貌呈现。为方便今天读者阅读，本次出版对原文中的繁体字进行了简体转换，对可以确定的技术性错讹进行了订正，对个别的标点符号用法进行了相对规范。对错讹较多的英语、俄语等外文，特邀有关专家进行了认真校订。

四、"随感卷"内容选自《新青年》原版各卷中的"随感录"。因原文发表时大部分并无标题，本次专卷出版的标题为主编所加。

五、本丛书的策划出版，也是我们对2019年"五四"运动100周年的一次提前纪念。

河南文艺出版社
2016年5月

回眸:唯以深情凝望……(代序)

张宝明

　　1492年10月11日,克里斯托弗·哥伦布看见海上漂来一根芦苇,欢呼雀跃地宣布了被称为"救世主"之新大陆的发现。

　　1915年9月,《青年杂志》创刊。这就是那个日后易名为《新青年》的月刊,她从此成为一代又一代青年人心目中拨云见日的精神新大陆。

　　饶有情趣的是,无论是彼岸还是此岸的"新大陆",其发现过程都需要有敢于冒险的勇气、勇于担当的气魄、胸怀天下的责任。500年前,哥伦布想方设法说服了西班牙女王得以扬帆;100年前,陈独秀费尽口舌让出版商动心,在那出版业凋敝、萧条的时代,主编那"让我办十年杂志,全国思想全改观"的信誓旦旦背后多少有些心酸。

　　一个世纪过去了,重温百年历史记忆,翻阅那一页页泛黄的纸张时,我无法用编选或剪辑来保存这样一个精神存照。

　　作为20世纪一轮最为壮丽的精神日出,《新青年》以其鲜活的时代性入世,演绎了一台精彩纷呈的思想史专场。她已经在百年的风雨沧桑中固化为一尊灵魂的雕像、一座精神的丰碑。形而下的标本馆可以被肢解、分离,甚至拆卸为齿轮和螺丝钉,可谁若是声称复制出形而上的灵魂标本馆,我们不免顿生疑窦。因为灵魂的雕像和精神的丰碑只能内化于每一个人的心底,存贮于每一个人的心灵。

回望百年,再也没有这样的思想演绎更值得我们咀嚼了。仿佛,她就是我那无法用肉眼观看的神经末梢。岁月陶铸了文化的沧桑,年龄剪断了思想的记忆。"剪不断,理还乱。"因此,面对沧桑的文化记忆,面对凌乱的思想线团,我们无法用具象化的"编选"或"剪辑"称谓,更无法用当年文化先驱的启蒙来"普及"当下的启蒙。这里的思想静悄悄,这里的灵魂无眠,这里精神永远……我们最好的纪念就是无言面对,默默注目,深深凝望……

《新青年》,已经不是当代青年心目中的"新大陆";回眸《新青年》,无非是想通过那一代知识先驱心中流淌的文字为20世纪中国做一个有血有肉的注脚。发黄的纸张、右行竖迤的文字以及远离的先驱成为朦朦胧胧的追问,我们在回眸中分明看到了自己。我们在解读自己,也在解剖自己,更是在反省着自己。有时,我们又不能不拷问何以如此失去自己。这不是多愁善感,而是因为风雨沧桑的生命之旅招惹了我们的思绪:《新青年》不是一个尘封的历史遗存,而是一个活生生的对象,一段可以触摸的历史,更是一曲跌宕的纸上声音:说你,说他,说我……

风流,不会像诗中说的那样总被雨打风吹去。昔日的倜傥,同样可以因我们的自觉而获得立体的再现。多年之后,长征之后落定延安的毛泽东对埃德加·斯诺吐露心声说:在1916年,我和几个朋友成立了新民学会……许多团体大半都是在陈独秀主编的《新青年》的影响下组织起来的。而我在师范学校读书时,就开始阅读这本杂志了，并且十分崇拜陈独秀和胡适所做的文章。他们成了我的模范，代替了我已经厌弃的康有为和梁启超。青年时代的毛泽东，有很长一段时间都在翻阅、谈论、"思考《新青年》所提出的问题"。1918年2月，读到《新青年》的周恩来在日记中奋笔疾书：晨起读《新青年》，晚归复读之。于其中所持排孔、独身、文学革命诸主义极端赞成。恽代英从武昌写来肺腑之言，盛赞《新青年》的思想价值：我们素来的生活，是在混沌的里面。自从看了《新青年》，渐渐地醒悟过来，真是像在黑暗的地方见了曙光一样。我们对于做《新青年》的诸位先生，实在是表不尽的感激。当时在陆军第二预备学校读书的叶挺也热情洋溢地表达过对《新青年》的仰慕和膜拜：空谷足音，遥聆若渴。明灯黑室，觉岸延丰。最后并以急不可待的心情期盼着"思想界的明星"（毛泽东语）。陈独秀指点迷津：吾辈青年，坐沉沉黑狱中，一纸天良，不绝于缕，亟待足下明灯指迷者，当大有人在也。

热血的政治青年对此刊有一种天然的偏爱，在校读书的文学青年对此更是欢喜。北大学生杨振声曾这样回忆说：像春雷初动一般，《新青年》杂志惊醒了整个时代的青年。冰心也这样评论《新青年》："五四"运动前后，新思潮空前高涨，新出的报纸杂志像雨后春笋一样，目不暇接。我们都贪婪地争着买，争着借，彼此传阅。其中我最喜欢的是《新青年》里鲁迅先生写的小说，像《狂人日记》等篇，尖锐地抨击吃人的礼教，揭露着旧社会的黑暗和悲惨，读了让人同情而震动。凡此种种，举不胜举。

热血青年如是说，引导"新青年"的当事人更是引以为豪。胡适就曾在20世纪30年代为重印《新青年》激动不已，并挥毫题词：《新青年》是中国文学史和思想史上划分一个时代的刊物。最近二十年中的文学运动和思想改革，差不多都是从这个刊物出发的。胡适为重印《新青年》的广而告之及定位，与其在1923年写给"新青年派"高一涵、陶孟等同人的信中表述一脉相承：二十五年来，只有三个杂志可代表三个时代，可以说创造了三个新时代：一是《时务报》，一是《新民丛报》，一是《新青年》。《民报》与《甲寅》还算不上。题中之意还在于：《新青年》创造了一个崭新时代，永远不会被遗忘和尘封。鲁迅作为"新青年派"的中坚，也曾在为《中国新文学大系》所作的序言中鼓与呼：凡是关心现代中国文学的人，谁都知道《新青年》是提倡"文学改良"，后来更进一步号召"文学革命"的发难者。从学术"象牙塔"走向办杂志、发议论的公共空间，从学问家到舆论家，"新青年派"知识群体经历了一个艰难的选择里程。这里，我们不难从鲁迅心灰意冷的"钞古碑"到满怀激情地"听将令"之转变窥见同人们的"一斑"：但是《新青年》的编辑者，却一回一回的来催。催几回，我就做一篇。这里我必得纪念陈独秀先生，他是催我做小说最着力的一个。

....

我们知道，在世界文明史上，18世纪的法国因其启蒙运动的舆论力量留下盛名，并产生了一批以伏尔泰为精神领袖的舆论之王。当作为社会良知化身的知识分子以公共面目出现时，就获得了舆论家的声誉。胡适这位现身说法的当事人这样用英文将其正名为"Journalist"或者"Publicist"，而且对"意中舆论家"有这样的诉求：有"笔力"、懂国内外"时势"、具"远识"，其中"公心"和"毅力"最不可或缺——这是胡适1915年1月尚在美国留学时日记中记下的夙愿。回国任职北京大学后，学问家的身份反被舆论家的名声所掩盖，他走了一条"一发不可收"的不归路。从此，思想史上的胡适而不是学术上的胡适，成为声名鹊起的一代思想骄子。

《新青年》创刊于上海，兴隆于北京，终结于广州。在这一平台上汇聚起来的"新青年派"同人，学术凹陷，思想凸显；学问淡出，舆论立言。"五四"新文化运动的天空中，最耀眼的是那一抹以"民主""科学"为主调的绚丽彩虹。舆论的彰显与张扬，拉动着中国现代性加速转型。1905年科举的终结，让传统士人走向边缘，而舆论家的身份意识和担当情怀重新将他们推向时代的浪尖和话语的中心。这里，"新青年派"同人不再是书斋里"钻牛角"、翻故纸的学术把玩者，而是一批"执牛耳"、观天下的社会现实参与者。行走于风雨故园中的时代先驱们，可以不是理性、冷静的审慎思考者，却是理想在前、激情在身的担当者。一百年后回眸《新青年》，我们可以为他们的急不择言、话不留余的语言暴力保持一份反思的态度，但毋庸置疑的是，他们留下的文本却为我们读懂20世纪以及当下的中国提供了弥足珍贵的思想路径。从这里，走进历史现场；在这里，读懂近世中国。的确，在享受这一新文化运动元典阅读快感之际，无论如何都无法阻止我们的心跳。

这里，不但有"妙手"写下的"文章"，更有"道义"担当的"铁肩"。《新青年》寻求真理、坚持真理的使命感与历史同在，历历在目；新文化运动敢于担当、勇于担当的责任感与日月同辉，常读常新。听其言——陈独秀在文学革命的战车上立下过"愿拖四十二生的大炮为之前驱"的誓言，还有那振聋发聩之守护"民主""科学"的承诺：西洋人因为拥护德、赛两先生，闹了多少事，流了多少血，德、赛两先生才渐渐从黑暗中把他们救出，引到光明世界。我们现在认定：只有这两位先生，可以救治中国政治上、道德上、学术上、思想上一切的黑暗。若因为拥护这两位先生，一切政府的压迫、社会的攻击笑骂，就是断头流血，都不推辞。信誓旦旦，掷地有声。观其行——1919年6月8日，陈独秀为声援和欢迎"五四"运动中被捕出狱的学生撰写的《研究室与监狱》就是一篇激情四溢、气势磅礴的短平快舆论：世界文明发源地有二：一是科学研究室，一是监狱。我们青年要立志出了研究室就入监狱，出了监狱就入研究室，这才是人生最高尚优美的生活。从这两处发生的文明，才是真正的文明，才是有生命有价值的文明。陈独秀雄于言、力于事的个性和品格，在舆论抛出三天之后"知行合一"。被胡适誉为"一个有主张的'不羁之才'"的陈独秀，在经过三个月的监禁后，成为中国共产党的创始人。

　　无独有偶，作为《新青年》主力的舆论家胡适向来以性格稳健、思想"健全"著称。即使如此，他在"新青年派"同人营造的公共空间里丝毫不减锐气，文风堪称犀利直接、所向披靡。如同我们看到的那样，当《民国日报》记者邵力子以北洋政府下令"取缔新思想"之舆情发难胡适，并"三十六计，走为上计"揣测其生病住院时，当事人严正地在《努力周报》上发布公告：我是不跑的，生平不知趋附时髦；生平也不知躲避危险。封报馆，坐监狱，在负责任的舆论家的眼里，算不得危险。然而，"跑"尤其是"跑"到租界里去唱高调：那是耻辱！那是我决不干的！这就是"新青年"那一代知识先驱的共同心声和承诺。知其言，观其行。新文化运动的舆论家就是这样直面着人生、关注着社会、履行着诺言、担当着责任。胡适很早就认识到"舆论家之重要"并"以舆论家自任"。应该说，无论是陈独秀还是胡适，尽管在北京大学地位显赫，但真正"暴得大名"并在中国政治史、思想史、文化史上留下重要的影响，依靠的不是作为学问家的"学术"志业，而是以不安本分的"舆论家"起家。在《新青年》周围,一个知识群体为国家、民族的现代性演进而不遗余力地万丈激情挥洒自如。不甘于自处出世、超然的边缘,而要走向中心,有所担当的"家国""天下"情怀体现得淋漓尽致。

百年回眸,在演出那场思想史专场的新文化思想舞台上,海归们给沉寂的中国注入了前所未有的生机。陈独秀、胡适、周作人、鲁迅、李大钊、钱玄同、刘半农、高一涵、沈尹默……"新青年派"同人扬鞭策马、奋笔疾书。本来,学术是他们的安身立命之本,学问家应该是他们原汁原味的角色担当。但是,归国后面对中国的现实,让他们有一种坐不住、不安分的冲动,携带着西方文明的种子,他们很快从一身长衫的学问家华丽转身为西装革履的舆论家,成为指点江山、激扬文字的中心人物……

百年回眸,新文化元典已经走过了一个世纪。在"知识分子到哪里去了""知识分子还能感动中国吗""人文学还有存在的必要吗"之追问不绝于耳的今天,重读《新青年》是那样的情真意切。只要启蒙还没有"普及",只要"五四"先驱设计的目标还没有抵达,只要"中国梦"还在路上,我们就不能不读《新青年》!百年回眸,那是一个渐行渐远的大时代。我们只有以这样的方式默行注目礼……

百年回眸,《新青年》同人打造的"金字招牌"历历在目。当我们手捧10卷本"普及版"的时候,其实我们是在"提高"着对自我与这个时代的认知。本来,"普及"和"提高"就是一个问题的两个方面,无法化约,采用这样的划分完全是为了阅读的需要。我们深知,其中的每一卷都是一个个精神的制高点、诗意心灵的停泊站:"政治卷""思潮卷""哲学卷""文字卷""文学创作卷""翻译卷""文学批评卷""随感卷"的单打以及"青年妇女卷""文化教育卷"

的组合,都能够给读者带来无限的遐想。一杯茶,或一杯咖啡,在原汁原味的隽永文字中咀嚼、品味、思考,唯有这样的互动才能使我们徜徉于心旷神怡的天地。或浓烈,或淡雅,或遥远,或温馨,思想的滋味本来如此……

目录

中西文化

法兰西人与近世文明 …………………………… 陈独秀　3
现代文明史（一）………〔法国〕薛纽伯　著　陈独秀　译　7
现代文明史（二）………〔法国〕薛纽伯　著　陈独秀　译　22
现代欧洲文艺史谭（一）………………………… 陈独秀　35
现代欧洲文艺史谭（二）………………………… 陈独秀　38
东西民族根本思想之差异 ……………………… 陈独秀　41
人类文化之起源（一）…………………………… 陶履恭　45
人类文化之起源（二）…………………………… 陶履恭　49
人类文化之起源（三）…………………………… 陶履恭　56
中国国民性及其弱点 …………………………… 光　升　60
礼论 ……………………………………………… 吴　虞　71
偏激与中庸 …………………… 北京大学理科学生　胡哲谋　79
质问《东方杂志》记者 …………………………… 陈独秀　84
再质问《东方杂志》记者 ………………………… 陈独秀　91
新文化运动是什么？……………………………… 陈独秀　105
近代文明底下的一种怪现象 …………………… 周佛海　112

东方文化与世界革命 …………………… 屈维它 123
共产主义之文化运动 ……………………………
……………〔德国〕项莱 〔俄国〕克鲁朴斯嘉 134
无产阶级革命与文化 …………………… 蒋侠僧 147

教育改革

今日之教育方针 ………………………… 陈独秀 157
体育之研究 ……………………………… 二十八画生 164
近代西洋教育 …………………………… 陈独秀 176
以美育代宗教说 ………………………… 蔡子民 181
大学改制之事实及理由 ………………… 北京大学 187
新教育与旧教育之歧点 ………………… 蔡元培 191
德国分科中学之说明 …………………… 蔡元培 194
论吾国父母之专横 ……………………… 张耀翔 198
对于今日学校之批评 …………………… 缉斋 204
我们现在怎样做父亲？ ………………… 唐俟 210
儿童公育 ………………………………… 沈兼士 221
教育问题（通信） ……………… 虞杏村 独秀 227
林纾与育德中学（通信） … 林纾 臧玉海 独秀 229
新教育是什么 …………………………… 陈独秀 232
儿童公育（通信） ……………………… 杨钟健 243
工人教育问题（通信） ………… 知耻 独秀 247
马克思的家庭教育 ……………………… 季子 250

中西文化

法兰西人与近世文明

陈独秀

"文明"云者,异于蒙昧未开化者之称也。La Civilisation 汉译为"文明""开化""教化"诸义。世界各国,无东西今古,但有教化之国,即不得谓之无文明。惟地阻时更,其质量遂至相越。古代文明,语其大要,不外宗教以止残杀,法禁以制黔首,文学以扬神武。此万国之所同,未可自矜其特异者也。近世文明,东西洋绝别为二。代表东洋文明者,曰印度,曰中国。此二种文明虽不无相异之点,而大体相同。其质量举未能脱古代文明之窠臼,名为"近世",其实犹古之遗也;可称曰"近世文明"者,乃欧罗巴人之所独有,即西洋文明也,亦谓之欧罗巴文明。移植亚美利加,风靡亚细亚者,皆此物也。欧罗巴之文明,欧罗巴各国人民皆有所贡献,而其先发主动者率为法兰西人。

近代文明之特征,最足以变古之道,而使人心、社会划然一新者,厥有三事:一曰人权说;一曰生物进化论;一曰社会主义是也。

法兰西革命以前,欧洲之国家与社会,无不建设于君主与贵族特权之上。视人类之有独立自由人格者,唯少数之君主与贵族而已;其余大多数之人民,皆附属于特权者之奴隶,无自由权利之可言也。自千七百八十九年,法兰西拉飞耶特(La Fayette,美国《独立宣言书》亦其所作）之《人权宣言》(La déclaration des droits de l'homme)刊布中外，欧罗巴之人心，若梦之觉，若醉之醒，晓然于人权之可贵，群起而抗其君主，仆其贵族，列国宪章，赖以成立。薛纽伯有言曰："古之法律，贵族的法律也。区别人类以不平等之阶级，使各人固守其分位。然近时之社会，民主的社会也。人人于法律之前，一切平等。不平等者虽非全然消灭，所存者关于财产之私不平等而已，公平等固已成立矣。"（语见薛氏所著 Histoire de la Civilisation Contemporaine 之"结论"，第 415 页。）由斯以谈，人类之得以为人，不至永沦奴籍者，非法兰西人之赐而谁耶？

宗教之功，胜残劝善，未尝无益于人群。然其迷信神权，蔽塞人智，是所短也。欧人笃信创造世界万物之耶和华，不容有所短长，一若中国之隆重纲常名教也。自英之达尔文，持生物进化之说，谓人类非由神造，其后递相推演，"生存竞争""优胜劣败"之格言，昭垂于人类。人类争吁智灵，以人胜天，以学理构成原则，自造其祸福，自导其知行，神圣不易之宗风，任命听天之惰性，吐弃无遗。而欧罗巴之物力人功，于焉大进。世多称生物学为十九世纪文明之特征，然追本溯源，达尔文生物进化之说，实本诸法兰西人拉马尔克（Lamarck）。拉氏之《动物哲学》出版于千八百有九年，以科学论究物种之进化与人类之由来，实空前大著也。其说谓生物最古之祖先，为最下级之单纯有机体。此单纯有机体，乃由无机物自然发生，以顺应与遗传为生物进化之二大作用。其后五十年，倾动世界之达尔文进化论，盖继拉氏而起者也。法兰西人之有大功于人类也又若此。

近世文明之发生也，欧罗巴旧社会之制度破坏无余，所存者私有财产制耳。此制虽传之自古，自"竞争""人权"之说兴，机械、资本之用广,其害遂演而日深。政治之不平等,一变而为社会之不平等;君主、贵族之压制,一变而为资本家之压制。此近世文明之缺点,无容讳言者也。欲去此不平等与压制,继政治革命而谋社会革命者,社会主义是也。可谓之反对近世文明之欧罗巴最近文明。其说始于法兰西革命时,有巴布夫(Babeuf)者,主张废弃所有权,行财产共有制(La communauté des biens)。其说未为当世所重。十九世纪之初,此主义复盛兴于法兰西。圣西孟(Saint-Simon)及傅里耶(Fonrier),其最著称者也。彼等所主张者,以国家或社会为财产所有主,人各从其才能以事事,各称其劳力以获报酬,排斥违背人道之私有权,而建设一新社会也。其后数十年,德意志之拉萨尔(Lassalle)及马克斯(Karl Marx),承法人之师说,发挥而光大之。资本与劳力之争愈烈,社会革命之声愈高。欧洲社会,岌岌不可终日。财产私有制虽不克因之遽废,然各国之执政及富豪,恍然于贫富之度过差,决非社会之福。于是谋资本、劳力之调和,保护工人,限制兼并,所谓社会政策是也。晚近经济学说,莫不以生产分配相提并论。继此以往,贫民生计,或以昭苏。此人类之幸福,受赐于法兰西人者又其一也。

此近世三大文明,皆法兰西人之赐。世界而无法兰西,今日之黑暗不识仍居何等!创造此文明之恩人,方与军国主义之德意志人相战,其胜负尚未可逆睹。夫德意志之科学,虽为吾人所尊崇,仍属近代文明之产物。表示其特别之文明有功人类者,吾人未之知也。所可知者,其反对法兰西人所爱之平等、自由、博爱而已。文明若德意志,其人之理想决非东洋诸国可比,其文豪、大哲、社会党人,岂无一爱平等、自由、博爱,为世矜式者?特其多数人之心理,爱自由、爱平等之心,为爱强国、强种之心所排而去,不若法兰西人之嗜平等、博爱、自由,根于天性,成为风俗也。英、俄之攻德意志,其用心非吾所知;若法兰西人,其执戈而为平等、博爱、自由战者,盖十人而八九也。即战而败,其创造文明之大恩,吾人亦不可因之忘却。昔法败于德,德之大哲尼采曰:"吾德人勿胜而骄,彼法兰西人历世创造之天才,实视汝因袭之文明而战胜也。"吾人当三复斯言。

(第一卷第一号,一九一五年九月十五日)

现代文明史(一)

〔法国〕薛纽伯　著　陈独秀　译

薛纽伯①为法国当代第一流史家。本书乃欧土名著之一。今为篇幅所限,择要译之。

译者识

第一章　十八世纪欧罗巴之新强国(略)

第二章　十八世纪殖民制度(略)

第三章　十八世纪欧罗巴之革新运动

(一)十八世纪之新思想

十七世纪之工商业。中古时代,人人于君主特许之社团外,无从事劳作之自由,营业者不得违反君主认可之规律。在诸专制君主国,务保存此等社团及规律。制造之业,由国家管理,私人无创业之权。工作者属于都市工头之特权。无论何人,皆不得于乡间建设工场,亦不得新设于市内,违者处以死刑。虽有劳作之特权者,亦不能自由劳作。及有造作,必遵循旧传方法及命令楷则。执政者咸谓工人悉应受政府之指导。法兰西人柯耳白尔[2]曾编定一工业法规,工人必需之刨应如何为之,罗纱之幅例应若干,皆一一定之。监视人应不绝巡察工场。倘属不合此法规之产物,没收不赦,或令毁弃之。政府欲输入新工业于国内,建立种种制造场,政府自为管理人,支给劳作者之工资。(葛白郎[3]织场及柯耳白尔创设之薄纱工场,皆此类也。)

政府有制商权,亦当时欧罗巴洲之通例也。不经政府之允许及遵守其法规,私人所有之货物,不得运输及买卖之。法兰西政府禁止国内之小麦输出,并不许由此省运往他省,或囤积之。盖以预防饥馑及垄断者囤积居奇,致市价翔贵也。此禁令之结果:收获不足之地方,遂遭凶歉,以无法输入粒食也;同时,收获成熟之地方,农人拥有余谷,亦无缘销售。

租税之通则,亦当时所未有。各国之所求者,惟在设立租税,足以使其收入尽量加多,疲弊其国不顾也。各处租税,极不平均。政府为自利计,贵族租税几于全数豁免,农民则备受迫压之苦。

重商政策。对外贸易,乃遵循十五世纪威尼士[4]及弗罗连斯[5]之当局者所立原则。彼等以为所有之国家,乃对于他国商业竞争之谓也。又云:"贸易者,战争也。一国民之所利,同时必他国民之所损。"因以各国欲增加其国之富力,不得不侵蚀他国。尔时计富以金银为主,因有金钱者,可购买一切也。法重尽力输入金钱于国内,且尽力制止其外溢。因此必求多量商品之输出(即售之外人者)以易取金钱,亦必尽量减少输入(即购诸外人者)以节省货币。此等国家,乃若商号,各自以买寡卖多为致富之道。每岁之终,比计输出输入之额，是谓贸易均衡。（当时之人，视国家若年终计较损益之银行家。）凡一国之输出超过输入之时，则确获货币上之利益，于贸易均衡，彼之利也；反之输入之额多，则货币损失，于贸易均衡为不利。致富之输出，使之加多；召贫之输入，殊于输入之制造品，使之减少。各国之政府，设法阻止工艺品贩卖于国内，且驱除外国之作品而代以国货。行此政策有二方法：其最急激者，禁止商人运入某种外国制造品是也。柯耳白尔禁止威尼士之薄纱贩卖于法兰西境内，法兰西人不得购买非法兰西工场制出之薄纱。此所谓"输入制止主义"⑥也。其他则仅令运入国内之外货，缴纳一定之关税。（此等外来商品税，自十二世纪已行之东方⑦诸港。收税之关，名曰都昂⑧，此亚剌伯语也。在当时不过以关税为筹款之法，后世遂以为保护内地工业之用。）其货之价值，当然增涨。国内所制同样之货，不纳此税。于价值上自易与外货竞争。政府于边境征收此税，既为国家增加收入，又以保护工商业者。此所谓"保护贸易主义"⑨（Le système Protecteur）也。

　　十七世纪欧罗巴诸国，无不采用此禁制或保护之方法。一千六百五十一年之航海条例⑩，乃适用禁制主义于英吉利海军者也。凡非属于英吉利船主，由英船长指挥之英吉利船只，皆阻止其与英吉利及英殖民地贸易。柯耳白尔亦施行此保护之义于法兰西。彼曾云："关税如柱杖，以之扶持营业之进行，至于十分稳固，方可抛弃也。"

　　此种制度，称为"重商政策"⑪。（正当言之，此政策绝不合于学理，亦不合于一般之应用。不过于商业政策⑫名义之下，兼举十六、十七两世纪各国执政者之持论及设施而已。）其目的在奖励贸易及输入钱币于国内。最适此者莫如意大利诸都市。是等都市以工业及输出为致富之道。对于敌市,不得不拥护自市之商业。此风盛行于十五世纪,其时银量稀少,而需求孔殷。但此种政策,乃不适用于大国。加以亚美利加之发见,供给金银无算也。

经济学者。对于社会及国家增富之策加以学理的研究者。自十七世纪始,此种研究称曰"经济学"(此语千六百十五年孟克芮相[13]始用之),是所谓一国岁计之学也。经济学家之所探求者,应取何法使一国之工商业趋于生产性质,以及采用如何税法,而国家之收入极多,私人之苦感极少也。经济学者有三时代,其大部分为法兰西人。

第一,自路易十四治世之末年,有波洼构卑[14]者,著书二种:一曰《法兰西事情》(一六九七年);一曰《法兰西形势论》(一七〇七年)。有倭班[15]者,著《什一税论》,皆以摘发法兰西之贫状。彼等以统计法表示人口之减少及政府任取严厉手段,亦不获扩充收入,其弊在租税制度之不良。一切租税,皆由郡吏任意断定。富者尽运动之方法,使其所有地及其佃户之地得以漏税,贵族领地之免税,其权利也。茹苦负重者,可怜之农民已耳!彼辈终岁所获,租税恒取其三分之一(此外尚有应纳僧侣之什一税及地主之租)。农民劳而无获,遂不得不转徙他乡,而耕地委任荒芜矣。倭波二氏,唱议欲去斯弊,必平租税。一切土地,悉令纳税无差别。彼等之书,旋于千七百有七年,受刑事之宣告,由执法官毁弃之。然法兰西人租税制度改革必要之感自此始矣。

第二,路易十五世之中顷,王之侍医桂内[16]其人者,著一书曰《经济演讲》。相传路易十五颇爱读此书,且订正书中之引证,自是经济学流行于世。桂内门下,蔚为一宗。地主如米拉波[17]、高等官如郡守顾内[18]亦列其中。彼等主张之原则,谓神定天然法则,以支配富力之生产。其法完善,人间所作一切法,不能媲美于天然之秩序。最良之制度,乃放任一切事物悉顺天然之进行。彼等称此学说为"地力主义"[19](即天然支配之意)。"地力主义"者,亦尝讨论若何而富力发生,乃造成一种生产论。(此论之主要学说,载杜朋德努姆[20]及梅雪德拉里委尔[21]之著书中。)

彼等之言曰:"金银非富,符号而已。真富唯有用之物品。"桂内氏于土地之产物以外,胥不认为富。彼曾云:"土地者,富之唯一源泉也。"其他经济学者,增之以一切工业生产物。彼等一致非难政府采用之方策,其言曰:"诸种法规,非能助长工商业,适以妨害工人之制作,抑制商人之贸迁。政府最良应行之策,莫若纯任工商业者之自由,而不加以保护及监督。"盖以生产尽量加多,卖价尽量从廉,彼等之所利也。何者为彼等之利,彼等自知之过于大臣也。柯耳白尔一日向一工业家叩以富国之道,其人答曰:"其任自行乎!其任自止乎!"[22]斯言也,桂内引用之,经济学者莫不奉为金言。盖为工商业者要求完全自由也。彼等主张废弃妨碍工业之团体及法规,一任其自由工作。停止妨害商业之专卖制度及输入制止主义,各听其买卖之自由。此种自由,乃以开国际工商业者自由竞争之端绪,而造福于无疆。何以言之?诚不斯则工人不得不力求制品之精良,商人不得不售以较其竞争者稍廉之价。彼等但得相当之利益,而产物改良,市价低落,此消费者之所利也。地力主义者,以为国家举租税之负担,悉责诸农民,此农业荒废之因。是宜课诸地主本身,而无所差别,间接税及关税亦应废之。若夫以土地为唯一之富源,设立单税制[23],负担悉责诸地主,亦此派中人所主张者也。

第三,十八世纪之经济学者,后出之二人最知名:一为法兰西人屠尔果[24];一为苏格兰人亚当斯密士[25]。其研究经济之事象,皆精密过于前人。纸币与现货若何不同？何故分业有增加富力之效能？以及工价与资本之关系如何？屠尔果皆有所说明。亚当斯密士以明晰之文章，辑散见之学说于一卷书中，即《国富论》[26]（一七七六年）是也。社会得此，始知此种新学问之重要。其书驳正土地为唯一富源之说，且以明工业所以致富者，变更原料之形态故也。

是等经济学者之所说，全然合理与否，非今日所能断定。听任私人之自营，恒为所最利，此说亦未必尽然。彼等以为利者，往往适得其反。工商业者，以浅识或怠慢之故，恒于可以致富之时，失其完备方法或扩张贸易之机会。多数经济学者恒不计及业主及顾客之利害，且自由竞争，对于劳动者本非最有利益之制度。善良法规之利，视绝对放任，即所谓法规全无者。生产之费加廉，而分配财富亦较趋平等。然是等经济学者反对当时之政府，亦非绝无理由，盖无法较善于恶法也。

英吉利之哲学者。十七世纪，欧罗巴多著名之哲学家——狄卡儿[27]、马尔布郎氏[28]、斯皮挪萨[29]、雷布尼兹[30]等是也。彼等专事全般人类之研究（即吾人所谓"心理学"）及探求宇宙之大法（即吾人所谓"形而上学"），于政治未表露何等之思想，以此为政府之事，当局者所重视也。

十八世纪法兰西高才之文人辈出，自拟于哲人之伦，其理论亦列于哲学。此等哲学者，于诸大问题别无新思想披沥于世，所加意者惟实际问题。彼等研究当时之信仰及制度，何者悖乎道理，则著书加以驳斥而破坏之。谓彼等为哲学者，宁谓为政论家。

当时欧罗巴各国之社会，殆建设于同一基础之上。国家及教会乃有绝对之威权，人民相习盲从其君主。时人有言曰："王权受之自神，彼有支配之权利。彼之臣民，有服从彼之义务。"王之权利,无所限制,彼之权力绝对者也。实言之,国王及其大臣,皆深知无人有反抗彼等之方法。其为政也,遂于臣民之愿望及国家之利益,非所计及。恣其野心,以事攻战,虚耗国帑,供给一奢侈无度之宫廷,强行无道之法令。有议其所为者,则投之狱中。不得政府之许可,不能刊行一书。无论何等人民,大臣皆可任意捕而系之于狱。无所谓监督政府,无所谓个人自由,是曰"专制制度"。

当时信徒之服从教会,亦复如是。固无择乎新教国与加特力教国也。决定教义、教仪,人当信仰遵行,此僧侣之权也。乃属信徒,皆有服从此教义、教仪之义务。有拒绝教会行教者,则视为叛逆而放逐之。一国之内,不容异教之存立。全国居民,必遵奉国定之宗教。礼安息日,列圣晚餐,定期禁食,行婚礼、执葬仪、行婴儿洗礼于教会。在加特力教国,尚有忏悔斋戒之事。是所谓"不宽容"[31]之制度也。国家与教会,互相提携。政府放逐异端,强制臣民服从教会,僧侣则卫教以事王。此二种绝对之威权,相合而御世。

自十七世纪,在英吉利,此制度已至动摇,国家与教会相战而互赴衰微。千六百八十八年之革命,国王之专制不存,而宗教之宽容亦立。巴力门[32]之势力代王权而勃兴,异教会对公立教会而创设。巴力门之徒党与分立教会之徒党相结,以保君主立宪政治与夫宗教之宽容。其时国王对于臣民失其绝对权,教会对于信徒失其绝对权。而社会未尝破灭此种轻验,乃与王者神权说及宗教统一说以致命伤也。英吉利获此政治之自由,与夫宗教之宽容,其哲学者就此实行之事,更以学理证明之。其中最知名者,为《宽容论》[33]著者陆克[34]、沙甫特司白利[35]及波林布若克[36]也。

彼等之言曰:"基督教不能不适合乎理性。"理性者,神所赋与于吾人以发见真理者也。基督教各派所争论之问题,无足轻重。

其最关紧要者,乃全体基督教徒之共同教理也。基督教之本义,自然教也,其基础之观念有二,即一神为世界之主宰,及人有不死之灵魂是也。

人类有充实之理性,以认识根本原理与夫辨别善恶之能力(道德的意识)皆受之自神,此英吉利哲学者之所信也。又以为人类生前合于理性及道德,良以人为神所创造,神之所作皆善故尔。

现行之惯习,英人素所尊重者也,故无废灭国教之要求。教会之特权,以及政府之给费与维持,皆彼等所容许。彼等所求者,他种宗教信仰之宽容而已。斯即所谓公布所信而不被迫害之权利也。惟彼等所视为危险之信仰,若"无神论"[37]及"加特力教"[38],则无此权利宽容此等,决非尊重良心之自由,要之彼等惟容许或种之信仰,有公言之权利而已。即于事实视前此为宽容,亦为扩张彼等宗教计耳。彼等盖代自然宗教以英吉利教也。

与此同一理论之变化,亦发见于政治。千六百八十八年革命所立之英王,由代表国民之巴力门授以政权。哲学者,以说明此王与臣民之关系,发明一新学理。陆克唱以"契约"之说,其义曰:"政府者,建设于组织国民之公民等,相立一种契约也。"彼等缔此协约,以保其公同利益耳。陆克以为人类未成社会以前,即生而赋有自导其行为之德性及天然之权利,此即"人权"[39]也。人权者,个人之自由也,家主权也,财产权也。此等权利,皆建基于自然教义之上,皆神圣也。人类之创设政府,为互相守护此等权利耳!为政府者,不可不卫此天然权利。人民服从之者,唯此条件之故。政府试侵犯之,即失其存在之理由。盖彼自破此授彼以权之契约,凡属公民,人人得而反抗之也。国家权力,决非绝对之物如"神权说"之所云,乃受公民天然权利之限制者也。财产权为绝对之物,君主亦无征收租税之权。易词言之，即无权夺取公民财产之一部也。彼因公益需赀，应请求于国民或国民之代表。国民代表，监视君主，禁制其行使绝对之权。君主不与国民代表相融，无能为政也。

波林布若克益广其意曰："所有唯一之权力，皆易流于绝对。禁制利用公权压迫国民之唯一良法，乃在保持权力间之均势，使之相制而各得其平。"

由此观之，英吉利政治自由学说之兴也，其非本于共通原理，与宗教宽容之说相同。英之哲学者，并未主张全体公民皆有同一之权利，王及贵族世袭之政权，彼等之所容许、所求者，政府不越一定之限制，不犯私人之自由而已。

法兰西之哲学者。法兰西于路易十四世、十五世时代，犹保存不宽容之教会及专制君主制。宗教宽容与夫政治自由，未之有也。然自十八世纪之初，人民已渐厌旧制。学者社会，遂发生反抗教会及君主政治之精神。路易十四世之末年，巴黎及宫廷间多有当时所谓"抗俗之士"[40]，虽未公然掊击宗教，然以宗教为无足重轻，则所公言者也。（见拉布留耶尔[41]书中《抗俗之士》一章。）对于政府及国王之专制，政治之不平家亦同时而起。

至路易十五世之时，是等不平家虽知有英吉利之新学说，然不敢口之于公，以避迫害。是时，法兰西之文人，率假小说、故事及游记等，以种种寓言表见其思想。学说渐次发展，终至诞生崭新之结果。彼等所论定之原理，益加普遍，所要求之改革，益加深远，非彼等之先辈英吉利人想象所及。

法兰西之哲学者，分二时代：第一时代，在十八世纪之前半期，以孟德斯鸠[42]、福禄特尔[43]为代表；第二时代，在同世纪之后半期，以卢梭[44]、狄对儿[45]及"百科辞典家"为代表。

孟德斯鸠与福禄特尔，皆上流社会出身。孟氏以贵族而富，居波尔多法署[46]之首席，又为学士会会员。福氏为巴黎公证人之子，受学于瑞司特教徒[47]，资产富厚，曾购买费儿内旧城[48]。是二人者，皆认许其生存之社会，颠覆之则非其所愿，所求者改革而已。英吉利人，彼等之师也。福禄特尔以与一大地主争，不得不去法兰西。居英吉利三年，习英之语言，交英之贵族，献《显理王颂》[49]于英后。又千七百三十一年于哲理诸说中[50]，称道己见。彼颂美、英国之宪法，尤激赏其宗教之宽容。彼用其长久之岁月，于小说、于诗歌、于讥讽文、于史传、于哲学字汇，披沥其政治及宗教之见地与批评。

福禄特尔于政治问题，无多兴感，但得有学者为王者师之条件，虽专制君主，彼亦所赞许。彼曾云："此时之革命，不必如路德[51]时代之所为，但求之于主治者之精神中足已。"彼所非难者，为各种违背人道之习惯，如刑讯残忍之体罚及收没财产是也；彼所专心致志者，在与不宽容之宗教相格斗耳。

福禄特尔敌视一切人为教[52]，自然教[53]外悉所不取。（自然教，仅信唯一神及灵魂不灭。）彼毕生之著作，在反抗一切不宽容之形式，如迫害、排斥异端、宗教战争等是也。褫夺僧侣所有特权，亦所期望。彼之议论，日渐激烈。至于晚年，竟为基督教之仇敌。持基督教与他宗教较而冷嘲之，喻之以恶魔，诅之曰殄灭污秽。"污秽"，即谓基督教也。

彼非欲废弃一切宗教也（彼以为宗教之目的，在使人民遵从法律），所希望之宗教：无独断、无神秘、无信条。僧侣说教，以道德牖民为限。彼之门下，所谓福禄特尔派者，未尝热心于政谈，依然以理性及人道之名义掊击宗教。

孟德斯鸠之论敌，虽以自然教徒诬之，而其与福禄特尔相反，于宗教之事,不甚措意,所求者宽容而已。彼乃一完全政论家也。其初作《波斯文学》出版后,漫游欧罗巴各国。最所激动者,英吉利之制度,所著《万法精神》(54),赞赏英国宪法,谓为善良政治之模范。(就十八世纪之英国宪法精研之,孟德斯鸠所言失当之处不可掩也。)国家之目的,在保持自由,而其最确实之方法,在分配权力:一为君主;一为世袭贵族之议会;一为地主代表之议会。

孟德斯鸠有名之学说,乃"权力分离论"(55)也。彼谓治国之良方,莫若立法、司法、行法三权分离。孟氏实自由主义议会论之主唱者也。

福禄特尔及孟德斯鸠,均非革命党人。彼等于改革之外,无他求也。所主张改革者如下:

于宗教方面,教会应停止迫害背教及不信者之事,僧侣之富有与权力均应轻减。

于政治方面,君主与贵族共治,而不可专擅逮捕。贵族应尽纳税之义务,而放弃审判与禁制遗产(56)之权利。刑讯、残酷之体罚及秘密审判制度,一应废弃。征收租税,宜采用公平方法。

第二时代之哲学者,则不若是之温和矣。卢梭及狄对儿,皆出身平民。卢氏为几内甫(57)钟表商人之子。狄氏乃兰格耳(58)铁匠之儿。工人莫不饱受巴黎生计之困难,对于当时社会之制度,自无好感。即英吉利之制度文物,亦非彼等所满足。彼等建立夫共通原则,由彼等原则所构成之社会,则所望也。

卢梭于当时之政教,一无所许。彼谓:"人为之事反乎自然,皆恶也。人生而善爱、公正与秩序,此道德之原理也。"又曰:"致人类幸福与善良者,自然也,社会夺之而陷人类于悲境。"盖以社会不与众人以同等之利益,斯不当也。又以财产本属于全体人类之物,而私有权乃略取"公共财产"[59]，亦不当也。然视此等尤不正当者，则政府也。政府之为物，不啻"婴儿命令老成，愚人指导贤哲"，是应破坏社会财产私有权及政府，一返乎自然。而后人类互相承诺，构成一新社会。此新社会盖建设于众人协约之上，即"社会契约"[60]是也。彼等设立之政府，与众人以同等之权利而行使诸种权力。于是国王之主权，易而为人民之主权。所有公民，一切平等。政府由众选立，受绝对之权力，以规定财产、教育、宗教诸制度。卢梭排斥基督教，然崇拜至高存在之神，仍彼之所容许。归依卢氏门下者，皆所谓"自然之友"，与夫"平等主义之革命党员"也。

百科辞典家。狄对儿为此世纪最有光荣之文人之一也。彼为生颇勤苦，开演讲于巴黎，又为书肆从事著作哲学之论文，渐为世所称道。曾被捕系于温生奴[61]之狱。彼发宏愿刊行一大辞书，其书总括人类之智识，署名《百科辞典》[62]，一名《科学美术职业之合理字典》。编纂者，文人协会也。董理者，狄对儿也。担任数学部分者，达兰倍尔[63]也。

与闻斯业者，殆当代学士及哲学者之全体。狄对儿不独躬当检阅之任，其中哲学、历史、政治及主要之机械工艺，亦多所记述。达兰倍尔于数学外，绪言亦其所作。

此书出版，经二十年以上之岁月（自一七五一年至一七七二年）。内容都二十八册，其中十一册为图画。始终贯彻此业者，狄对儿之大力也。其首二册于千七百五十二年，为检阅官所禁止，并由警吏停止其十八月内刊行续卷，其后复得官许发行。至第七册又停止刊行，终至撤回此禁令者，则以硕瓦徐耳[64]之尽力也。

此书风行欧罗巴全土，大为传播法兰西哲学思想之助。执笔之人，意见亦未能一致。其中秀出者，殊于最终数册，辩论尤烈。

若夫叶尔委休司[65]、多尔巴[66]、马布里[67]、雷纳尔[68],百科辞典家之名,即以称诸人者也。狄对儿为彼等之领袖,自然宗教及人权之说,亦非所容许。彼等之言曰:"人生寻乐耳,自利外无他图。法律也、宗教也,皆妨害人类享受幸福之羁绊耳!故欲返自然,不可不破坏此等羁绊。"

此派哲学者,对于教会国家以及社会之旧制度,如家族制度、财产私有制度,无不掊击之。否认神之存在及灵魂不灭之说,无神论者、唯物论者,彼等所公认不讳也。

法兰西精神之影响。此等哲学之势力,成于法兰西哲学者,同时又为当代之文豪。彼等以明晰灵活之笔,发表其理论。于讽刺文、于小说、于记事,使不学之俗人,亦得读而解之。其书遂广行于社会,法院时指斥彼等之书,令执法官毁弃之,然其书依然公行。有时官场亦默许之,当时显人夜会招待,亦及此等哲学者,彼等各以己为中心,结合一小社会,相要而非难宗教及讨论哲学经济之事。顷假而帝王亦染此风。俄女帝加特里奴[69]与福禄特尔、卢梭、狄对儿,往复通书。佛雷对里克二世[70]招聘福禄特尔于泼达姆[71],是时市民颇爱读新闻纸,为哲学者之议论所感动。于福禄特尔及卢梭,则尤甚焉。当千七百七十八年福禄特尔之归巴黎也,众人迎之,如庆凯旋。

于十八世纪,此等哲学已灌输于欧罗巴全土。其理论虽多异点,而根本思想则相同也。世人唯习惯与宗教之是从,哲学者谓为偏见与迷信耳!现存之社会,无不有害而且可笑。又曰:"万般事物未有能维持现状者也。光明之世,来日可俟。理性之光,照耀人类。社会基础应建设于理性之上。夫十八世纪之理性,非科学及事实之观察,常识而已、论理而已。哲学者,于其所欲改革之社会,不甚措意；于现实之人间，非其所知；于农民、于劳动者，亦无所见解。彼等无宗教、无社会习惯，骋其幻想，以造成想象之人物。此人物于幸福之外无希冀，于抽象之理性外无行为。人类同性，无不合理，无不善良。欲返其本性，不可不打破诸障碍制度。政府一令，足以行之。社会改革，固应如是。"此皆彼等所放言者也。

　　社会之组织不良，必待改革。改革之道，贵政府之自觉。此哲学者之结论也。此哲学乃造成十八世纪之政制，执政多采用之，改革运动遂盛行于全欧。法兰西人民，躬任实行，终之以革命焉。

　　①Ch. Seignobos，法国文学博士，巴黎文科大学教授。②Colbert. ③Gobelin. ④Venise. ⑤Florence. ⑥Le système prohibitif. ⑦Levant. 指地中海迤东沿岸诸地方。⑧Douane. ⑨Le système Protecteur. ⑩L'acte de novigation. ⑪Le système mercantile. ⑫Mercantilisme. ⑬Monchretien. ⑭Bois guillebert. ⑮Vauban. ⑯Quesnay. ⑰Mirabean. ⑱Gournay. ⑲Physiccratie. 以地土所产天然物为财源之经济学说。日本译曰"重农主义"，对"重商主义"而言也。⑳Dupont de Nemours. ㉑Mercier de la Riviere. ㉒Laissez faire, laissez Passer. ㉓Un impot unique. ㉔Turgot. ㉕Adam Smith. ㉖La Richesse des nations，英文原名 The Wealth of Nations，即严复所译之《原富》。㉗Descartes. ㉘Malebranche. ㉙Spinosa. ㉚Leibnitz. ㉛L'intolerance. ㉜Parlement. 英国议会之名。㉝Lettres sur la tolerance. ㉞Locke. ㉟Shaftesbwry. ㊱Bolingbroke. ㊲L'atheisme. ㊳Le catholicisme. 别于路德改革以来新教之名。中国称曰"天主教"。㊴Les droits de I'homme. ㊵Le espritfort. 蔑视教理者之称。直译则为"强狠精神"之义。㊶La Bruyere. ㊷Montesquieu. ㊸Voltaire. ㊹Rousseau. ㊺Diderot. ㊻Parlement de Bordeaux. ㊼J'esnites. ㊽Le chatean de Ferey. ㊾Henriade. ㊿Les Lettres Philosophiques. ㊿①Luther. ㊿②Les religions positives. ㊿③La religion naturelle. ㊿④Esprit des lois. 即严复所译之"法意",日本译曰"万法精理"。㊿⑤La separation des pouvoirs. ㊿⑥Mainmorte. 贵族对于农奴,不许其以遗嘱传财产于他人。直译原文为"死手"二字。㊿⑦Geneve. ㊿⑧Langres. ㊿⑨Fonds Commun. ⑥⓪le Contract social. 日本译曰"民约"。⑥①Vinconnes. ⑥②Encyclopedie. ⑥③Dalembert. ⑥④Choiseul. ⑥⑤Helvetis. ⑥⑥d'Holbach. ⑥⑦Mably. ⑥⑧Raynal. ⑥⑨Catherine. ⑦⓪Frederic Ⅱ. ⑦①Potsdam.

(未完)

(第一卷第一号,一九一五年九月十五日)

现代文明史（二）

〔法国〕薛纽伯　著　陈独秀　译

第三章　十八世纪欧罗巴之革新运动
（接第一卷第一号）

（二）法兰西及欧罗巴之改革试验

改革家诸君主及大臣。十八世纪之后半期，欧洲列国之当局，多依前所述之经济学者及哲学者之思想而施行政治。其中君主若奥大利之约瑟夫二世[72]、托司加纳之勒泼耳德[73]、普鲁士之佛雷对里克二世、俄罗斯之加特里奴。其最著也，又若巴德[74]、槐马尔[75]、蛮司[76]、诸王亦然。其以国王之名而行政治之大臣，若拿破里[77]之塔奴其[78]，葡萄牙之潘巴尔[79]，西班牙之亚兰大[80]，及康泼马内斯[81]是也。

此等政治当局者，对于君主之职务，颇抱新奇之想。以国家为君主之私领，得任己意处分之观念，彼等业已抛弃。若夫君主不过为国家之元首，无权费用租税以充自身个人之欲望，必以之办理有益之事业。彼亦无权与官职于其宠眷之人，必授诸正直奉公之士。为君主者，且应节省宫廷之费用，和政刑，明法度，以增进臣民之富力,此皆彼等所怀之主义也。

彼等之理想,与哲学者同辙,以为人情相若,遵一己之理解而行政府之任也。彼等以为臣民习于服从,社会改良之事尽可以命令行之。欲以此抹去其国"野蛮之痕迹",建设"光明圣世",即所谓筑基础于"道理"上之政府。是以发令改革,一意孤行,于夫臣民协议之困难及其习惯,无所容心。举国家之强力,以供当时所谓文明之用,世于彼等事业,字以开明专制政治[66]之名。

奥大利约瑟夫二世。奥帝约瑟夫二世乃开明专制最完全之典型。彼即位以来,奉献全身于君主之义务。每朝五时起床,整衣兴趋公室,命书记治案牍。讫于正午,接见来宾,受诸请愿。散步二小时后,一人独酌,急了食事,稍弄乐器,仍复治事。夜分九时,尚许谒见,十一时入剧场。就枕之前,犹往往展阅书牍。彼于水之外无所饮。被青色军服,着长靴,寝则黍槁以为被,兽革鹿皮以为枕。时整鞍马,以备出行。巡幸境内,时御劣乘,跋涉崎岖,以赴急务。其至都市也,止诸旅亭,备治事之几案,以供记录朗读签印而后行。彼之在世中,维也纳[63]之宫廷,其奢华与仪式与十八世纪诸君主国无异。厩有马二千二百头,黄金食器,重量计有二百二十五启罗格拉姆[64]。宫廷岁费三千五百万,厨膳备极骄奢(皇后手饲鹦鹉所食之面包,浸以托基[65]所产之葡萄酒,每年用至二吨[66])。然帝每召侍从与之共食。熔铸库币,废止宴会。彼且变乱当时之礼仪,尝在濮拉谷[67]偕一平民妇人与贵族社会游。贵妇人辈悉拒与彼女交言,独帝一人与之偕舞。

约瑟夫采哲学者之人道主义,废止农奴,容许农民不必经其主人之承诺,而有结婚及迁地之自由。罢刑讯及死刑,废出版检阅之制,虽抗帝之书亦许刊行。帝公布一意见书,自求臣民之公判,不据敌党之谤书而据皇帝自身之行为。彼颇恢弘宗教上之宽容，虽新教徒及犹太教之宗仪，咸许其公然行之。

　　帝之蔑视传说，不信有遵守习惯与古法之义务也，亦与诸哲学者同。彼自记有曰："予所统治之帝国，应由予之意见而理之，应消灭一切偏见狂热及党派之精神、智术之奴隶。凡属予之臣民，悉得行使其天赋之权利。"原夫奥大利家之邦国，乃于一帝室领地之中，杂然并合异邦土地而成。其人民之种族、语言、风俗，举不相同，决无何等团结一致之理由。日耳曼人、匈牙利人、科若亚特人[⑧]、波黑米亚人[⑨]、波兰人、比利时人、意大利人，诸种相异之民族，尨然相集，其中多有古代自成一国民者。各省之间状况绝异，齐一之法度，不可适用。如此国情，欧罗巴罕有其类。然约瑟夫二世欲取同一之方策革新全国，而波黑米亚及匈牙利依其国内之习惯拒绝此盟约。帝遂罢前此省制，分全国为十三县，县各分区，各县区皆施行同一之法律，同一之税则，同一之行政。决令匈牙利之裁判所悉操用日耳曼语，罢免不通日耳曼语之裁判官，匈牙利之议会出而抗议，帝乃抑止之。

　　帝复自信有权规定其臣民之宗教，彼尝有言曰："自余获世界第一之帝冠以来，哲学乃余国之国法也。"

　　千七百八十年时，帝有言曰："予不欲负有导吾人于天国之使命者，复于此世界之俗务，重劳彼等指教也。"以此之故，帝乃任命"毁坏无用修道院"之委员。二千六百六十三修道院中，废闭者六百二十四所，收没其财产，用之于建筑物、病院、学校、工场及兵营。帝又以奥大利之教会堂装饰过盛，褫取圣徒立像之薄纱与宝名，以及巡礼者所纳礼拜堂之供物，此等宝器、用品及遗物，悉售诸犹太人，任其毁铸，并售装饰细工绘画之手迹誊本与夫印章及羊皮纸。

彼又毁坏所谓"教会障碍物"之祭坛,废十字架及立像,禁止巡礼及行列诵经。规定供养之数及神圣之一周间仪式。建设通常之讲习所,使牧师辈学习适合帝意之教仪。帝有言曰:"予之企图告成,则帝国人民应对神了解彼等之义务。"一七八二年,罗马教皇亲赴维也纳,对于此等专断之举动有所抗议。约瑟夫一切拒之,而坚持其改革。

帝于己所不悦之宗教,不之容许。当时有一宗派起于波黑米亚正直勤勉之农民,此派所信仰者神,以自然一神教信徒⑳自称。帝召之法庭,固执其说者,悉罚笞二十五杖,且声称曰:"非罪其为自然一神教徒,以其无知而妄言也。"然此笞刑未能改变彼等之信仰。帝悉捕而流诸土耳其之边鄙,令与众绝别。

约瑟夫二世,诚实希望为一善良执政,然彼意以为无论若何大业,皆可一蹴而就。彼蔑视信仰与习惯,以为不当于理。彼以威权抵抗此信仰与习惯,反动之声蜂起于比利时及匈牙利。约瑟夫于未死之前,不得已宣布有名之"取消世人目为违反普通法律之命令"于匈牙利。其敕语有云:"吾人为求公共福利之热情所驱,且唯一之希望以为明示卿等以经验,卿等必将欢迎之,是以政府不恤有所改革。由今思之,卿等所希求者,旧有之治术,且其大裨于卿等之福祉,吾人所共信也。"匈牙利人奉此敕令,莫不大悦。咸裂其土地登记簿涂抹其门牌,废学日耳曼书。

托司加纳之勒泼耳德。自奥大利勒泼耳德王之至托司加纳以来,努力节省此小邦之费用,解散其兵队,毁披萨㉑之要塞,缩小其宫廷,王之治事于其书室也。据一寻常之桌,秘书官所用者为枞木制之板,此外则锡制烛台一。效文明诸君主之例,废止刑讯,异教纠察所㉒及收没财产之制,建立病院,亲往慰问。托司加纳之修道院自中世以来，即享有所谓"隐匿权"[93]之特权，虽裁判官亦不能拦入。此等修道院中，容留无数冒险者、杀人犯、亡命者、脱逃之橹犯[94]，而为之巢窟，妨害正业，虐遇行人。勒泼耳德不顾此特权，一七六九年，悉捕此辈。

俄罗斯之加特里奴二世。加特里奴，本为日耳曼一王女，后杀其夫而为俄之女帝。彼乃女文豪而与哲学者游，著有喜剧悲剧。狄对儿评之曰："彼有布鲁吐斯[95]之灵魂，藏诸克勒巴特尔[96]之形貌中。"

加特里奴乃非常活泼而又非常富于虚荣心之人也，所希望者声誉之高，采哲学者之见而施政，在欧罗巴称为文明君主，是其所大愿也。

彼盛称孟德斯鸠尝云万法精神，应为君主之日诵经[97]。又云使余为法王，则推尊孟德斯鸠为圣徒。

一七六七年任命一委员长，拟编纂法典，颁布俄罗斯全国，自草训令，指导委员，其中多引用孟德斯鸠之语句。自云此虽出于剽窃，若能追随彼（指孟德斯鸠）之功业，彼于二千万人有意之剽窃，悉不非难。帝赠此训令一册于普鲁士王，附言曰："足下视余所为，一若古说中著孔雀毛羽之鸟。篇中此引一行，彼引一句，惟次序排列，乃余所为耳。"委员以各省之代表组织而成，其后，帝闻彼等所云，却还所拟草案，遂以哲学者之理论为基础，自制一法典。有言曰："国民非为君主而有，君主乃为国民而有也。宽宥十罪人，善于损害一无罪者。"于是废刑讯及死罪。帝于宗教一切冷淡。加特力教徒、背教者，皆得自由行其宗仪，由加特力教国驱逐之厄端特教徒[98]亦集于此。然加特里奴所以采行哲学者之理论，不过为己而已。其与狄对儿书曰："以卿之伟大理论，可以为善书，亦可以造恶业。"彼以流西比利亚代死刑,而不废笞刑。征伐波兰,大杀其土人。一七八一年,其在位已十九年。就其所行事业作一报告书,并送改哲学者格里姆⑨。如下表:

建筑新式之县政厅	二九
新建之市政厅	一四四
缔结之协约条约	三〇
战胜	七八
关于法律及根本法之敕令	八八
人民救助之敕令	一二三
总计	四九二

(以上均属国家之事,私人事故,概不列入)

加特里奴欲以此证明其政绩,然此等法令大部分未尝实施。所谓市者,多仅驿站之改名,彼固未曾言及此也。其所建筑之物,亦均忽焉归于颓废。

彼之所事,不过求文人及公众称彼功业而已。哲学者奉以北方绥密拉密士⑩之名,此其所获之效果也。

葡萄牙之潘巴尔。潘巴尔为地方绅士,生于一六九九年,初入军队继习史学及法学,后为外交官居英吉利多年,次转任于奥大利。一七五〇年,约瑟五世擢为外务大臣,无几,王委以国务全体。以讫一七七七年国王之死,潘巴尔不啻为葡萄牙之独裁君主。

葡萄牙自十七世纪以来,即支配于异教纠察所及厄瑞特二势力之下。国王及其家族之忏悔者,总揽宫廷及政府之事。依《葡英条约》,葡国于经济上全隶属英国。一六五六年之条约,英人握有输入货物于葡之特权。又一七〇三年之条约,葡萄牙产之葡萄酒输入英国，应纳之税，较法国产之葡萄酒，不及三分之一。制造品向由英国输入，输出者为自国之葡萄酒，及由殖民地巴西赍来之黄金。葡萄牙本非工商业国，其驶入里斯本[101]之船舶，皆英船也，定居葡萄牙之商人，亦皆英人也。英人日渐握得贸易之全权，遂乘之向葡人强求种种条件，非许以极贱之价，不再购买葡萄酒。以此糊口之无数工人，多失业而弃其耕地。一七五九年，潘巴尔致英国政府书曰："以经济界黑暗无比之故，吾人容许公等供给衣服及他奢侈品，吾人出赀维持伦敦市内乔治[102]王臣民之工人生活，凡五万人。"

潘巴尔之政略，首先举葡国政府脱厄瑞特派之支配，次则使葡之人民离英吉利而独立。

彼之抗英人也，建设上都罗[103]种植葡萄总公司，予以葡萄酒专买之权，而规以定价，别设商会，予以开设分售商店之特权。如是政府遂将葡萄酒业及分售贸易之利权，收归萄葡牙臣民之手，又以鼓励萄葡人振兴工业之故。潘巴尔采用保护政策，禁止羊毛及他种原料之输出，免除绢及砂糖等制造品之出口税。潘巴尔用猛烈之手段，反对教僧之压迫，厄瑞特教徒起而抗之。彼遂与之宣战，一七五七年之终，放逐王家之忏悔者，厄瑞特教徒不得官许，禁入宫廷。以教徒经商之事诉诸教皇，要求彼等团体之改革。教皇遂派遣枢密官[104]审查此事，且改革厄瑞特之团体，宣言教徒之从事商业有背神法及人法，褫夺彼等受忏悔及说教之权。

一七五八年九月三日之夜，谋杀国王案起。潘巴尔乘此机会，开始搜检厄瑞特教徒之罹此罪案者。虽无何种证据，政府亦没收其财产，尽数逐出王国及殖民地，以船载往教皇领内之斯委塔位其亚[105]。前此葡萄牙之学校，司教授者无一非厄瑞特教徒，经此放逐，潘巴尔遂改用在俗之教师，聘请拉丁语、希腊语、修辞学、论理学诸科教授，俸由国给，不取学费，授教师以贵族之特权。彼于孔布尔大学[106]创设自然科学及数学二分科，复建置医学、化学之博物馆及天文台一所。尤所尽力者，为科学及葡萄牙语之教授。彼有言曰："国语教育，乃唤起文明国民精神最有力之一法也。"

潘巴尔欲改良孔布尔大学之训练，于一七六六年发现学籍登录之学生六千人中，多属伪名，减至七百人。

一七七二年，彼任命教授凡八百八十有七人（其中任讲义授文字者四百七十九人，授拉丁语者二百三十六人，授希腊语者八十八人），盖欲使葡萄牙人之教育，与欧洲诸国民比肩也。

然此等改革未获永续进行，国王死而潘巴尔罢黜，政府悉复其旧。

西班牙王查尔士三世[107]之大臣　西班牙亦与葡萄牙处于同一之境遇，工商失业，异教纠察所与厄瑞特教徒横行国中。

查尔士三世原为拿破里国王，一七五九年转登西班牙之王位，勉力再兴其新王国，赞襄其功业之大臣，初为自意大利偕来之斯葵拉司[108]及古利马耳地[109]，其后则有西班牙人亚兰大、康泼马内斯及佛罗里大布兰加[110]。

彼欲以保护政策振起西班牙之工业，征收外国商品进口税，且禁止若干种货物之输入。

彼又以振兴商业之故，采用相反之自由贸易主义。一七六五年准许谷物贸易之绝对自由；一七七八年许全体西班牙人，皆可与殖民地贸易。盖前此与殖民地贸易之专权，初属诸塞委耳[111]商人，次则属诸加地斯[112]商人，此政策之结果颇佳。一七八八年，与殖民地之贸易额，加增八倍至九倍。

西班牙有经济协会多所，弘扬经济学之新学理。此等协会，创始于巴司克人。[113]组织同样之协会,乞政府许可者,凡五十四市。其中若马德利得[114]之协会,设立免费之爱国学校多所,教授女子以织工及纺织。

诸大臣未有断然禁止异教纠察所者。至一七七〇年,亚兰大发令禁止纠察所裁判民事诉讼案,法兰西百科辞典家称之,作颂文一首,且表露彼有破坏异教纠察所之意。亚兰大因之大惊,恐人永远目彼为宗教及异教纠察所之敌也。一七七八年,有政府官吏阿拉委大[115]其人者,因读禁书且奉哥白尼[116]之学说,财产没收,处以禁锢于修道院八年。然死刑之宣告则甚少,二十九年间,烧杀者四人而已。

政府从事教育制度之改正,以代厄瑞特,而萨拉蛮克[117]大学拒此改革施诸彼校,且发送其根据亚里斯多德[118]哲学之课程表,而宣言钮通[119]狄卡儿之学说,有背天启之真理。于诸大学之外,创设植物园数所,博物馆一,当时西班牙与葡萄牙均硕学辈出,此等学问勃兴之运动直至反抗拿破仑战争时始已。

法兰西之改革试验。一七七四年以前,终路易十五之世,法兰西政府无重大之改革。一七七〇年,大法官莫卜[120]之改组执法部[121]也,废高等法院[122],以新裁判所代之,因此颇启争端。及路易十六即位,复置高等法院,一如一七七〇年前之旧。至路易十六之世,即位时年甚少,欲施善政于人民,任用爱重廉直与公共福利之政治家二人:一为执法官马尔塞布[123],一为经济学者屠尔果,均命为大臣。总揽政柄者,乃一老年侍臣莫芮泊[124]。王宣布其欲行改革之意旨,且咨询于屠尔果,屠尔果应之。一七七四年八月二十四日,进书于王,述其计划。

屠尔果以总监之职,当财政整理之任,其要策曰:"不破产,不募债,不增税。"依彼之计算,每岁节省约二千万,减少岁出之超过,渐次清偿公债。则所得之结果,二岁中,偿还债务四千万佛郎以上,岁出之超过二千二百万佛郎,减少至一千五百万。

彼所拟经济制度之全局改革如下:

第一,废止妨害小麦买卖诸法令,与谷物商以完全之自由。

第二,废止享有特权之同业团体,无论何人,皆得有从事工业之自由。

第三,废止关于租税之特权,所有地主一律平等纳税。屠尔果有言曰:"政府之岁出,其目的若为人人之利益计,则人人皆有担负之义务。其享受社会之权利愈多者,其分担之义务亦应愈重也。"

第四,于各市镇、各州郡设立地主议会,以助官吏之施政。屠尔果言于王曰:"吾国民缺少相当之组织,由各种阶级组成社会,其结合甚不完全。各个人民之间殆无何种社会的连锁,人计己利。如是一切事务,不得不待陛下自身之裁决,或委诸受命之臣。欲矫正此崩离现象,应建立各种党派互相依赖之方策也。"

屠尔果之陷于极困难地位者,彼之计划不为侍臣及王后所容,彼等皆不欲节省宫廷用费故也。贵族及高等法院则反对租税平等,职工长等则反工业开放之自由,势力薄弱之文人而外,未有赞助屠尔果者也。

彼未及提出全体改革案,一举而邀王之采用,乃竟次第出之。路易十六世为之保证曰:"其依卿之意见而进行,朕常助卿于所有强大反对党之间。"屠尔果所得遂行之改革如下:

第一,一七七四年,建立谷物贸易之自由,而镇定其骚动。

第二,废止职工及其首领即所谓享有特权同业团体之制度,工作者得完全之自由。此一七七六年之事也。

第三,彼建立租税之前人人平等主义,然此主义只行于次等租税。彼自云:"人头税[125]不便课诸贵族及僧侣,以特权社会怀有卑视此税之观念也。"故其主义惟适用于极微末之租税,如王室徭役(吾人称为佣工)。昔惟施诸平民,特权社会皆免之。屠尔果废除此制,代之以征收货币之税,凡地主皆应纳之。此亦一七七六年之事也。

复次,屠尔果以创设州议会改革内政之策进于王,而路易十六世,颇畏彼反对改革者之激昂。高等法院亦拒绝登录一七七六年之法令。若宫廷也,王后也,与夫社会之人人,无不怨屠尔果。谓为理论家,若从其言,将以倾覆王国。屠尔果遂于一七七六年解职,继其后者,前所废止悉恢复之。

屠尔果之州议会案,内克尔[126]亦采用之,然未能行之以果决(一七七八年至一七七九年)。彼于倍利[127]及上几内[128],创设一贵族僧侣及地主之代表议会。其代议士之一部分,由政府任命之。此议会之职务,为掌理家产评价、征收租税及道路、商业等事,其他无能为也,为州郡监察官[129]佐治而已。内克尔有言曰:"吾人常宜出以必要之注意者,因于此等新政,须表示陛下信任之尊严,价值之外无势力。助王之发政施仁者,惟在不辱王命之行改官及受任委员耳。"

政府决布州议会制于法兰西全国,乃在一七八七年(除已有地方议会者),然为时已过晚,不平之声极高。此等州会,起而与州郡监察官相争,助长行政之紊乱。

马尔塞布欲施行改革于警察及裁判,稍事监狱之改良,废止刑事审判常用之刑讯。然拘留状[130]犹未能废也,彼亦与屠尔果同时受反对者之抨击而去职。

改革事业始于路易十六世之初年,以特权社会之反抗而不果行,旧制度依然巩固。一七八一年时之陆军大臣,决定惟贵族得为士官,种种祭司、司教区、修道院、女修院之附属官职,悉为贵族所居。地方之大地主辈运动法官使农民仍纳小租。当此时也,国家岁出之超过,日益增加,此等制度遂以革命终。

⑫Joseph Ⅱ. ⑬Leopold en Toscane. ⑭Bade. ⑮Weimar. ⑯Mayence. ⑰Napoles. 意大利小国名。⑱Tanucci. ⑲Pombal. ⑳Aranda. ㉑Compomanes. ㉒le despotisme éclaire. ㉓Vienne. 奥国都城名。㉔Kilogrammes. 一格拉姆,当华量二分六厘七毛。启罗格拉姆,即千格拉姆之义。㉕Tokay. ㉖Tonne. 每一吨合千启罗格拉姆。㉗Prague. 奥国东北部 Bohemia. 省之省会。㉘Croates 即 Croatie 人之义。㉙Bobemiens. 即 Bohemia 人之义。㉚Deiste. ㉛Pise. ㉜Inquisition. ㉝Droit de refuge. ㉞Galerien 犯罪而罚为橹手者。㉟Brutus. 杀害恺撒者之一人。㊱Cleopatre. 古埃及女王,英文作 Cleopatra. ㊲Breviaine. ㊳Jesuite. 一五三四年创立之耶教会员,以排斥异教教化新世界为目的。㊴Grimm 日耳曼之哲学者又语言学者。㊵Semiramis. 鱼神之。女私诸 Ossyria 王 Ninus.（即 Nineueh）Ninus 之死,绥密拉密士有谋害之嫌疑,继承王位,建立无数名城于东方,功业震世,在位四十二年,禅诸其子 Ninyas, 化鸠而去。事出希腊神话。㊶Lisbonne. 葡京。㊷Georges. ㊸Haut-Douro. ㊹Cardinal. 凡七十人,有选举教皇之权。㊺Civita-Vecchia. ㊻L'université de Connbre. ㊼Charles Ⅲ. ㊽Squilace. ㊾Grimaldi. ㊿Florida Blanca. ⑪Seville. 西班牙南部之省。⑫Cadix. 西班牙西南部之省。⑬Basqne. 住于法兰西、西班牙间 Pyrenees 山脉近傍之民族。⑭Madrid. 西班牙中部之

省。⑮Olavida. ⑯Copermic. 波兰天文学者，英文作 Copernicus. ⑰Salamanque. ⑱Aristotle. 希腊古哲人。⑲Newton. 英国物理学者，旧译奈端，日本译曰牛顿。⑳Maupeou. ㉑Magistrature. ㉒Parlement. ㉓Malesherbes. ㉔Maurepas. ㉕Taille. 一七八九年始废。㉖Necker. ㉗Berri. ㉘Haute-Guienne. ㉙Intendant. ㉚Lettre de cachet.

（第二卷第二号，一九一六年十月一日）

现代欧洲文艺史谭(一)

陈独秀

欧洲文艺思想之变迁,由古典主义(Classicism)一变而为理想主义(Romanticism),此在十八、十九世纪之交。文学者反对模拟希腊、罗马古典文体,所取材者,中世之传奇,以抒其理想耳!此盖影响于十八世纪政治社会之革新,黜古以崇今也。十九世纪之末,科学大兴,宇宙人生之真相日益暴露,所谓"赤裸时代",所谓"揭开假面时代",宣传欧土。自古相传之旧道德、旧思想、旧制度,一切破坏文学艺术亦顺此潮流,由理想主义再变而为写实主义(Realism),更进而为自然主义(Naturalism)。

自然主义,唱于十九世纪法兰西之文坛,而左喇(Emile Zola,法国巴黎人,生于一八四〇年,卒于一九〇二年)为之魁。氏之毕生事业,惟执笔耸立文坛,笃崇所信,以与理想派文学家勇战苦斗,称为"自然主义之拿破仑"。此派文艺家所信之真理,凡属自然现象莫不有艺术之价值。梦想、理想之人生,不若取夫世事人情诚实描写之有以发挥真美也。故左氏之所造作,欲发挥宇宙人生之真精神、真现象,于世间猥亵之心意、不德之行为,诚实胪列。举凡古来之传说,当世之讥评,一切无所顾忌,诚世界文豪中大胆有为之士也!与氏最称莫逆者——法兰西小说家龚枯尔(Goncourt)、佛罗倍尔（Guctave Flaubert，法国 Rouen 人，生于一八二一年，卒于一八八〇年）及都德（Alphonse Daudet，生于一八四〇年，卒于一八九七年。吾国胡适君所译《柏林之围》（*Le Siege de Berlin* 见甲寅第四号）及《割地》（原义《最后之课》*Dernière Classe*）二篇，皆都德所作）、俄罗斯小说家屠尔格涅甫（Ivan Turgenev，生于一八一八年，卒于一八八三年，即本志译录之《春潮》作者）。当时青年文士及美术家，承风扇焰，遍于欧土。自然派文学艺术之旗帜，且被于世界。法人裴利西（Georges Pellisier）不满意于自然主义者也，所著《现代文学之运动》（*Le mouvement litteraire contemporain*）中有言曰："自然主义，果真失败乎？即其毁坏无复存续，而于坚持文学上之观察力及现实界真诚之研究，其功迹亦未可没。其最可称道者，莫如小说若佛罗倍尔、若龚枯尔兄弟（兄名 Edmond de Goncourt, 1822—1879，弟名 Jules de Goncourt, 1630—1870）、若都德、若左喇、若莫泊三（Henri Rene Alburt Guy de Moupassant，生于一八五〇年，卒于一八九三年）、若法白儿。求之吾国历代文学史中，以小说得名之正，未有能过之者也。"读此可见今日欧洲自然派文学之势力矣！

现代欧洲文艺，无论何派，悉受自然主义之感化。作者之先后辈出，亦远过前代。世所称代表作者，或举俄罗斯之托尔斯泰、法兰西之左喇、那威之易卜生（Henrik Ibsen, 1828—1906）为世界三大文豪；或称易卜生及俄国屠尔格涅甫、英国王尔德、比利时之梅特尔林克（Maurice Maeterliuck，生于一八六二年，今尚生存）为近代四大代表作家。

现代欧洲文坛第一推重者，厥唯剧本。诗与小说，退居第二流。以其实现于剧场，感触人生愈切也。至若散文，素不居文学重要地位。作剧名家，若那威之易卜生、俄罗斯人安德雷甫（L. N. Andreyev，今尚生存）、英人王尔德、白纳硕（Bernard Shaw）、伽司韦尔第（Galsworthy）、德意志之郝卜特曼（Hauptmann）、法人布若（Brieud）、比利时之梅特尔林克，皆其国之代表作家，以剧称名于世界者也。

裴利西原语如下：Le naturalisme fit-il réellement faillite? S'il ne laissait rien de durable, encore aurai-t'il bien mérite de la littérature en la ramenant à'l'observation, à l'étude sincère de la réalite. Mais, pour ne parler ici que du roman, nous lui devous Flaubert, les Goncourt, Daudet, M. Emile Zola, Guy de Maupssant, Ferdinend Faber; et peutetre aucune autre époque de notre histoire litteraire ne fournirait, dane un seul genre, plus de nome justement illustre.

（第一卷第三号，一九一五年十一月十五日）

现代欧洲文艺史谭(二)

陈独秀

西洋所谓大文豪，所谓代表作家，非独以其文章卓越时流，乃以其思想左右一世也。三大文豪之左喇，自然主义之魁杰也。易卜生之剧，刻画个人自由意志者也。托尔斯泰者，尊人道，恶强权，批评近世文明，其宗教道德之高尚，风动全球，益非可以一时代之文章家目之也。西洋大文豪，类为大哲人，非独现代如斯，自古尔也，若英之沙士皮亚（Shakespeare），若德之桂特（Goethe），皆以盖代文豪而为大思想家著称于世者也。

托尔斯泰之远祖，出于普鲁士，德文原姓曰狄克（Dick），俄译曰托尔斯泰（Tolstoi）。十七世纪之末，俄帝大彼得，与其姊争政权，托尔斯泰家，以助帝受爵，世为名族。大文豪托尔斯泰，生于一八二八年，为其父之第四子，三岁失母，九岁丧父，以姑母之助，学于莫斯科大学。自幼天性高逸，时作遐思。曾自述其七八岁时，发奇妙之想，以为人苟熟练，不难飞行空中，有时攀登楼窗，试飞空之技，坠地负伤，家人大惊。二十岁时，卒业于圣彼得堡法科大学，得法学士学位。不事猎官运动，归耕故乡三年，投身高加索远征军，任炮兵士官，屡冒危险，建殊功。暇时博饮渔色，豪迈作乐，为同行士官之中心。俄土战争旋起，托尔斯泰转任军令部参谋。是役也，托氏于枪林弹雨之下，三军气阻之时，毅然挥众以御敌。一八五五年，任山炮队指挥官。黑山剧战，勇名益著，依功应授侍从武官之职，乃以肆口批评军令部长官，贾老将之怨，遂以见阻。旋以报告战况之任务，急归彼得堡，坚请免职，军队生涯自此终，文学生涯自此始。

托氏从征高加索也，感其地天然之美，文思勃发，驰声帝京。及其归也，彼得堡人以贵族而兼勇士文豪欢迎之，宴饮无虚夕。一时美人名士，靡不乐与握手订交。著名小说家屠尔格涅甫，称托氏为俄罗斯拔群之著作家。当时之盛名，可以想见。然托氏理想超凡，又锐于观察力，脱身帝都欢迎文家赞赏声中，若弃敝屣，复归耕故乡，时年二十有六。彼尝自述此时代之思想曰："余自战场凯旋，初以文明为人生之最大目的，而促进此文明者，文学家、美术家是也。然叩之于我及我之心中，果何所能？何所知？而不能答。又觉文明之为物，不少可疑之点，因自认所信之误，遂欲脱却文学家、美术家之浮名矣。"又托氏之"自白"书中有言曰："由文章而得之浮名与金钱，足蔽余之灵眼，数年间不能忘此结习也。"彼隐居后，专心农事，暇则读书自娱，或著短篇纪事之文。然闲淡之田园生活，犹非青年托尔斯泰之所能安，居未久，遂作远游之计，首赴波斯，次至意大利，次至法兰西，得爱兄尼古喇死耗，急遽归国。伤悼之余，注全力于人生大问题"死"之研究，此托尔斯泰生平道德思想大革新之远因也。时值俄皇尼古喇一世殁，历山二世践祚，解放农奴之问题发生，俄罗斯之志士，群起以求善后之策。托氏以为此辈毫无教育之农奴子弟，乏独立生活之知识，放任置之，终无良果，应如何教导之，使为德义健全之农民？遂以此动西欧观察之念，首赴德意志，调查农民教育之组织，继游意大利、瑞典，经法之巴黎、英之伦敦,再至德意志,考察幼稚园。归国从事乡土之教育事业,时在一千八百五十九年。

(第一卷第四号,一九一五年十二月十五日)

东西民族根本思想之差异

陈独秀

五方风土不同,而思想遂因以各异。世界民族多矣:以人种言,略分黄、白;以地理言,略分东、西两洋。东、西洋民族不同,而根本思想亦各成一系,若南北之不相并,水火之不相容也。请言其大者:

(一)西洋民族以战争为本位,东洋民族以安息为本位。

儒者不尚力争,何况于战?老氏之教,不尚贤,使民不争,以佳兵为不祥之器。故中土自西汉以来,黩武穷兵,国之大戒。佛徒去杀,益堕健斗之风。世或称中国民族安息于地上,犹太民族安息于天国,印度民族安息于涅槃,安息为东洋诸民族一贯之精神。斯说也,吾无以易之。若西洋诸民族,好战健斗,根诸天性,成为风俗。自古宗教之战、政治之战、商业之战,欧罗巴之全部文明史,无一字非鲜血所书。英吉利人以鲜血取得世界之霸权,德意志人以鲜血造成今日之荣誉。若比利时,若塞尔维亚,以小抗大,以鲜血争自由,吾料其人之国终不沦亡。其力抗艰难之气骨,东洋民族或目为狂易。但能肖其万一、爱平和、尚安息、雍容文雅之劣等东洋民族,何至处于今日之被征服地位?西洋民族性,恶侮辱、宁斗死;东洋民族性,恶斗死、宁忍辱。民族而具如斯卑劣无耻之根性,尚有何等颜面,高谈礼教文明而不羞愧!

（二）西洋民族以个人为本位,东洋民族以家族为本位。

西洋民族,自古讫今,彻头彻尾个人主义之民族也。英、美如此,法、德亦何独不然？尼采如此,康德亦何独不然？举一切伦理、道德、政治、法律,社会之所向往,国家之祈求,拥护个人之自由权利与幸福而已。思想言论之自由,谋个性之发展也。法律之前,个人平等也。个人之自由权利,载诸宪章,国法不得而剥夺之,所谓人权是也。人权者,成人以往,自非奴隶,悉享此权,无有差别。此纯粹个人主义之大精神也。自唯心论言之,人间者,性灵之主体也；自由者,性灵之活动力也。自心理学言之,人间者,意思之主体；自由者,意思之实现力也。自法律言之,人间者,权利之主体；自由者,权利之实行力也。所谓性灵,所谓意思,所谓权利,皆非个人以外之物。国家利益,社会利益,名与个人主义相冲突,实以巩固个人利益为本因也。东洋民族,自游牧社会,进而为宗法社会,至今无以异焉；自酋长政治,进而为封建政治,至今亦无以异焉。宗法社会,以家族为本位,而个人无权利。一家之人,听命家长。《诗》曰:"君之宗之。"《礼》曰:"有余则归之宗,不足则资之宗。"宗法社会尊家长、重阶级,故教孝；宗法社会之政治、郊庙、典礼,国之大经。国家组织,一如家族,尊元首,重阶级,故教忠。忠孝者,宗法社会、封建时代之道德,半开化东洋民族一贯之精神也。自古忠孝美谈,未尝无可泣可歌之事。然律以今日文明社会之组织,宗法制度之恶果,盖有四焉：一曰损坏个人独立自尊之人格；一曰窒碍个人意思之自由；一曰剥夺个人法律上平等之权利（如尊长卑幼同罪异罚之类）；一曰养成依赖性,戕贼个人之生产力。东洋民族社会中种种卑劣不法、惨酷衰微之象,皆以此四者为之因。欲转善因,是在以个人本位主义,易家族本位主义。

（三）西洋民族以法治为本位,以实利为本位；东洋民族以感情为本位,以虚文为本位。

西洋民族之重视法治,不独国政为然,社会家庭,无不如是。商业往还,对法信用者多,对人信用者寡。些微授受,恒依法立据,浅见者每讥其俗薄而不惮烦也。父子昆季之间,称贷责偿,锱铢必较,违之者不惜诉诸法律。亲戚交游,更无以感情违法损利之事。或谓西俗夫妇非以爱情结合艳称于世者乎？是非深知西洋民族社会之真相者也。西俗爱情为一事,夫妇又为一事。恋爱为一切男女之共性；及至夫妇关系,乃法律关系、权利关系,非纯然爱情关系也。约婚之初,各要求其财产而不以为贪；既婚之后,各保有其财产而不以为吝。即上流社会之夫妇,一旦反目,直讼之法庭而无所愧怍,社会亦绝不以此非之。盖其国为法治国,其家庭亦不得不为法治家庭。既为法治家庭,则亲子、昆季、夫妇,同为受治于法之一人,权利义务之间,自不得以感情之故而有所损益。亲不责子以权利,遂亦不重视育子之义务。避妊之法,风行欧洲。夫妇生活之外无有余资者,咸以生子为莫大之厄运。不徒中下社会如斯也,英国贵妇人乃以爱犬不爱小儿见称于世,良以重视个人自身之利益,而绝无血统家族之观念。故夫妇问题与产子问题,不啻风马牛相去万里也。若夫东洋民族,夫妇问题,恒由产子问题而生。"不孝有三,无后为大。"旧律无子,得以出妻。重家族,轻个人,而家庭经济遂蹈危机矣。蓄妾养子之风,初亦缘此而起,亲之养子,子之养亲,为毕生之义务。不孝不慈,皆以为刻薄非人情也。西俗成家之子,恒离亲而别居,绝经济之关系。所谓吾之家庭（My family）者,必其独立生活也,否则必曰吾父之家庭（My father's family）。用语严别，误必遗讥。东俗则不然，亲养其子，复育其孙，以五递进，又各纳妇，一门之内，人口近百矣。况夫累代同居，传为佳话。虚文炫世，其害滋多！男妇群居，内多诟谇；依赖成性，生产日微；貌为家庭和乐，实则黑幕潜张，而生机日促耳。昆季之间，率为共产，倘不相养，必为世讥。事蓄之外，兼及昆季。至简之家，恒有八口。一人之力，曷以肩兹？因此被养之昆季习为游惰，遗害于家庭及社会者亦复不少。交游称贷，视为当然，其偿也无期，其质也无物，惟以感情为条件而已。仰食豪门，名流不免。以此富者每轻去其乡里，视戚友若盗贼。社会经济，因以大乱。凡此种种恶风，皆以伪饰虚文、任用感情之故。浅见者自表面论之，每称以虚文、感情为重者，为风俗淳厚之征。其实施之者多外饰厚情，内恒愤忌。以君子始，以小人终，受之者习为贪惰，自促其生，以弱其群耳。以此为俗，何厚之有？以法治、实利为重者，未尝无刻薄、寡恩之嫌。然其结果，社会各人，不相依赖，人自为战，以独立之生计，成独立之人格，各守分际，不相侵渔。以小人始，以君子终，社会经济亦因以厘然有叙。以此为俗，吾则以为淳厚之征也。即非淳厚也何伤？

(第一卷第四号，一九一五年十二月十五日)

人类文化之起源(一)

陶履恭

文化发源,已至久远。若以人类历史,衡地球发达之时代,仅当最迟最短之期间,盖人类之生,大地已经若干亿兆载,形态渐成。吾人欲穷人类之源,文化之端,必先究地史古生物学以资比较。

第一节 地质期

地层之石,就其构成,常别为二种:地火迸发,岩石熔化,凝结成石,是为火成石;物落水中,积压日久,沉淀成石,是为水成石。火成石乃迸发之结果,其象漫无秩序。水成石积多成层,排列有序,蕴藏古物。若各种化石,表示先代之史迹,先代之动物。依地质学家言,地层石质不同,所藏之生物化石又异,别为四纪。原始之纪,多花岗石云母片石,最深者下地面三十几鲁米突,无生物之迹。及太古纪,生物初见,种类日多,若三角介。究其构造,已极复杂。由是推之,原始纪当已有生物,惟化石不存,无踪迹之可寻而已。

及中古纪,动植物之遗迹愈多,形态之发达愈高,种类亦愈繁。旧有之生物种族多灭绝,代以新生之种族,每代必有新种发生。迨近古纪之第三期,哺乳动物之发达顿盛,有半猿人猿之属。及洪积期,人类初见。迄于冲积期,人类卓越,远超乎动物。依德人希米德 Schmidt(德生物学者赫克尔之徒)之计算,人类初生迄于今兹,至少已有廿四万年。

昔法儒屈唯野(Cuvier)谓地下各层,以极有力之激变,乃生成者。故最早之生物,摧灭殆尽。而每纪之生物,有若新生,是名为激变说。英之地学家赖页尔(Lyell)谓地层固有由激变而成者,而大部分则经几千万年,沉积成叠。或动力之所致,地面日缩成皱,或地下沉而为海洋,或隆起为山岳。自常人观之,地表坚固异常,而自地球观之,则至薄弱,常受外力之剥蚀。地之受水蚀者,若瑞典之滨若司皮兹柏尔根岛(Spitzbergen)日以沉陷者,若格林兰之陆地,皆亘无量数之年代。常有大陆,全浸入于海。或海底隆耸,成最高之巅,喜马拉雅高一七〇〇〇尺处,秘鲁之安底斯,在一四〇〇〇尺处,咸有海蜗牛贝类之发见,皆足证之。然则大地之上,土地起伏,沧海桑田,相为循环。不知历若干劫也,而水之为力,变化土地形态,厥功尤巨。水化为汽,落而为雨。虽至坚之石,亦为所剥蚀,裂为沙砾,更随川流,奔入于海。积年累月,更成新层,此地球发达之历史,永存之活动状态也。

依上所述,地球之成乃经长久年代之嬗变。生物之生,亦正仿此,非骤然发生者也。低等生物,经湮远之年代,以变化遗传生存争竞之淘汰,新周围之适应诸方法,乃日有异。种类渐增,种型渐高,此生物种原之论。以地质学、比较解剖学、生理学、病理学可得而证明者也。

第二节　有史前期

物种之源,自低型递变,既如上述,则人之源,必亦由低型嬗变而来。当近古纪之第三期,哺乳动物,初见于世,演进至于"人猿"之属,人类尚不见其迹。及洪积期,初见人类,然当时之人,绝非獉狉无文,而其进化颇高,与今社会学者所谓前猎期相当。或有谓与今之南非布须人(Bushman)、澳洲土人、火国(在南美之南瑞)土著等程度相若者,考当时文化,武器械具,其类颇多。有多少发达之言语,造火燃火之知识,一定之宗教观念,并极少宝贵之知识。其文化之程度,似已经无量数年演进之成迹。今人溯进化之纲,自地质期至有史前期,有大罅隙,是为人类之胚胎时代。时人类渐进,制械具,造言语,造火燃火,遂远迈众生物。人类之胚胎时代,乃人类文化史上之最早最要时期。而今日研究,发见至微。学者所述,不过臆说,惟资料搜集日富。则兹时代,或可渐明。要之,人类胚胎时代,固尚在研究中也。然近世社会学,主在社会方面,讨究人之存在,人之进步。上溯迄于胚胎时代,法之最善者,莫若依比较法。严动物人类之别,以究文化之起源,明乎人兽之别,斯渐明乎文化之胚胎矣。

第三节　无文化之人类先代

欲究文化之胚胎,必先评较发达至高之动物与发达至低之人类。二者之别,在言语、武器、械具、知识、宗教、观念及燃火、用火之知识诸端;而人类之先祖,所以能超乎一般动物,造言语制械具者，必有根本之原因，必有所以致之之状态。盖先代之人，必先有手，有手然后能制作器具。先代之人，必为群居动物，有群之生活，然后能创言语，为众所了解。今分别论之。

手之功用。手之功用至大，凡世上器物，需人力而成者，莫不有手之功。然考动物之变迁，则其初代，皆为四足，人类之先代或亦四足。揆诸生理解剖，人有尾骨，尾骨之存，可推人之先代，躯干与地面平行，非直立于地上。迨习于升木，前足以攀援，渐变成手形。试观察攀木之猿，在众兽中，有手渐能垂立。发达最高之猿，与发达最低之人，自解剖生理方面观之，其别颇巨。然试自最低之猿，上溯进化之级，则亦有显然之间断。而间断不在人猿之间，而在下级猿上级猿之间，即新旧世界之猿远高出狐猿之上。赫胥黎谓人与秦盘吉（Chimpanzee）之相去，不若秦盘吉与狐猿之相异远，正谓此也。

两手既离地，运动自如，身体直立，与地作垂直线。身之上下，两部之运动，遂各有专司。上部之手，为握持之运动；下部之足，支柱身体，而运转之。自是手遂为升树之用，后更捆木石，作械具，用益大矣。

（未完）

（第二卷第五号，一九一七年一月一日）

人类文化之起源(二)

陶履恭

言语之起源　人具灵性,必有方法,使灵性相通。言语之用,即所以通人之意思,明彼此之意念。溯其发源,则由于社会之群居生活。考哺乳动物群居生活者,可别为二型:一曰离居制。或单独家族制,成小团体。幼者长成,即脱离长者,别立家庭,而不与长者同居。此制主在传种,使不灭绝,不见群居生活之利。狮虎熊猫狐之属,隶此制下。一曰群居制。有社会之生活,小若蜂蚁。咸有社会性之本能。更上若马狼犬狒狒之属,皆群居为生活。而言语即肇端于群居家族,相聚所以相通者也。兽类之语,不外呼喊,表示爱好,警告幼稚,发表情绪而已。而兽种不同,其相通之语复有异。且兽之龄至短促,前辈所遗,斯为已足。语数之增,至稀亦至宝贵也。

吾师威斯特马克(Westermarck),芬兰之社会学者,主伦敦大学讲席。于所著《人类婚姻进化史》,尝考证人类起源,溯诸似人之猿若秦盘吉之属,谓为单独家族,而非群居社会。学者多反对是说,佥谓缺可信之证据,且与今日事实之真相相刺谬。盖人之起源,未必出诸今日生存之猿种。自近古纪第三期而后,人兽渐别猿类之哺乳动物亦渐嬗变。今日所存陆上之哺乳动物,殆已全见于当时,而衰绝之种亦伙。故就百廿一之哺乳动物化石中,灭亡或衰颓者凡五十九,则人与似人之猿相并演进,不必前者未必出诸后者也。更究今存之人猿与起源人类之关系,威斯特马克所论,尤多荒谬不伦。盖猿缺乏社会性,言语文化,皆未进化,而复反于原始家族之状态。故猿者,人类祖先退化之种也。故其行为,与孩提绝相肖。依生理之根本通则,人非出于猿,猿乃出于人也。达尔文论人种起源,谓据四手猿属之多数而考证之,咸群居的。故人类之祖先,亦群居的(《种源论》一六六页)。其说至当。盖究之事实,猿属之群居团结,救危拒险,服从协助,仅见于成人。若其团体之势力,则尤人群所罕见。卜烈谟波提二(Brehm Perty)动物心理学者,常观察狒狒多种。其所报道,颇资推论。其言曰:"狒狒之群至巨,常以千百计,夜至则蹲踞蜷曲,相歙而眠。外置警守,有来袭者,全群咸起立,呐喊号召,声至凶猛。男之壮者,出拒敌,掊击之。或保卫稚弱,携之远遁,以避敌锋。掳获羚羊山羊鸡蜗牛昆虫之属,为食品,藏之石下。石过巨者,以众力移之。原人游猎,与狒狒之相肖,于斯可见。又若人之虚荣性,亦人性所固有,而见于猿属。狒狒之好虚荣,人偶加以叱责嘲戏,即愤然怒,亦明例也。"

　　由是观之,人类最早为群居之生活,无家族制度,殆无可疑。而至不可解之问题,则今之人类,乃行单独家族制,设人以生活困难,散为小群,遂成离居制。则离居不过一时权宜,而人类必复集为一团体。离居制正吾人所难解,亦正主张群居离居两派说明人种起源者,聚讼之一原因也。然人之有社会性,有群居之本能,与生也俱。人必起源于有社会性之原祖,则确然不可拔。要之,人类无文化之祖先,乃攀木之动物,与四手类之动物,殆为同原。而此所谓四手者,与今日现存之猿类异。以今之猿属,不与人类直接同原也。

第四节 人之成就

夫人之始祖,既与动物无以异。则其后日之进化,又奚以别乎一般动物,相群居,发达言语,制作器械,蓄积理想,怀宗教道德之观念,明是非善恶之大别,有精神之生活,而遥驾乎大千动物而上之。斯乃人类进化史上最要问题。明乎此,明乎人之所以为人矣。

人之有大进步者,以其境遇周围之变。进步之始,则以人之始祖渐脱离攀木,而立足地上。猿属多种,曾直立于地,攫获食品,猎取诸兽。躯于垂直,而手渐自由。凡此属者,长于猎获,愈脱离攀木,遂愈习于土地上之生活。自是遂登于进化之途。人类之变嬗,遂日有进,而进步遂亦日迅速。夫树木本攀木兽类安身之所,以避仇敌,防御猎食之兽,凭依之者。不俟狩猎,不必利用土地,不必殚心竭智,而自然有食物可以无忧。心思能力,遂窳废而不能有进步。土地者,实攀木菜食之人类变为狩猎战争人类之要素也。人类自是出夷入险,去安身御敌之木,而入平坦无依之野。尽力于战争狩猎,必有狡猾忍耐,勇武之德能,黠巧之智,以与猎食之兽争,以与万物争。较诸木居之简单生活,境遇状态咸大异。而当此新境遇新状态,人群生存竞争,乃益有进。而生存竞争之最要利器有二:一曰群之生活,一曰两手之用,制造械具。二者,文化最初之原因也。

群及言语　动物之团结,若上所述,见于猿属。而群之为物,较每个为高,超乎每个之上。盖群者,不特一人之耳目手足,而千百个之耳目手足也。必亦有公共之目的,为众所企达。而群之中,所借以互相交通者，是为言语。言语非人类所专有，高等动物，亦常有达意之言语。笛彭（Dupont）谓鸡鸽有声十二，犬声十五，牛声二十二。而道尔涩（Dorsey）谓普通英人常用之语不过三百，格纳（Garner）谓猿猴之语用以相互争辩戏谑者二十音，更辅以无数之动作并活泼的模拟之态。

考言语起源于呼喊，传达意思，已足为言语之用。人类组织成群，成相同之神经系，有相类的心理的构造。使每个相集为一体，抵御宇宙间之外物。虽至强而有力之猎食猛兽，带至凶狠之爪牙，亦遭失败。经长年代之物竞天择，言语之利器，遂日进步。人群团体之争竞结果，使组织日益高。昔德人盖格司（Geiersg）谓言语创造思想。言语未成之先，人无思想。斯说虽奇，实则思想言语二者，相并进步。二者缺一，无进步也。苟深究心理，明乎知识之性质，斯见此说之不谬。故言语初用，不过为通意之具。及其渐进，功用更增。一则集蕴社会之思想，一则以言语传达思想，乃能增殖知识。今请先后述二者之功用。

言语之传达思想者，无数年代人类之心思蕴集最久之结果。个人得收集之，故获精神之益。传达之法，或以教育，或以习俗，积久成思想之宝库。譬如今之学子，读古人书，解其理想。是即古人思想，蕴集至于今日。故今之个人，虽至乏教育，亦多少袭受古今思想之宝库。虽不享用，亦得以之傲顾群动物。盖自有言语，而后人类思想之进步，去禽兽乃益远也。

然个人所思，非其个人微弱之智，实乃全人类或大多数个人之知识也。蕴积愈多，乃成群智。故人类之思想，乃亿兆人脑筋活动之成绩。以之较诸个人知识，伟大莫京。即一代之天才，望之亦无颜色。是以今之学子，绝不能胸罗万有之知识。盖天才之高，非以其个人知识之伟，乃以其奇特。有若埃及塔之巅，巍然高耸。而视诸塔之全体，不过较高。而其量，则渺乎小矣。

人智之优于动物，揆其原因，亦以言语所积之结果。个人之智，与最高动物相较，苟无过去之所遗留，则相去绝近。今之动物心理学者谓动物亦能联络意念，推解道理，利用经验，揣测人之思想。凡记忆、了解、想象、判断，象猿犬狐，皆具此能力，智力极高。就中特以人与犬相习，知其黠智。故西方有"犬能言是为人"之谚。人而无教育，无思想，无言语，则其优于秦盘吉奥朗者几希，必亦属于兽类。故洪荒之世，獉狉之人类，所以别乎一般动物者，正以其言语耳。后人进步，亦言语之作用也。

人智之优于动物，非纯以个人之言语蕴积之结果，而必以群之言语蕴积之结果解说之。而人兽之了解力，犹有根本之大别。兽不能造抽象之概念，而人能之。人之思想日进，智识卓越，抱绝伟之能力，莫非由于能造抽象概念之结果。而抽象之概念，则又言语所赐。

言语者何？代表一物或代表物之象。例如橘，所以表橘之物，或橘之象。故字所以诠物符号而已。故人之异乎禽兽者，非特能追思记忆，或为想象，犹能以符号为思想。盖人之冥思，思想之回萦脑际，皆以字为之。吾今读天生蒸民，有物有则，即会其意，无待图解之说明。盖符号印于眼帘，眼传于脑，以字思想。不俟具体之物，而能有抽象之概念。然方吾思时，吾固未尝自觉吾以字思也。吾好读英籍，久之遂以英字为思想。缮书札时，喜用英文。昔德哲尼采（Nietsche）谓欲求为文，先求思想之明确。诚哉言乎，思想者以言语之符号，思想明确，斯能属文矣。

自有言语之符号，吾人心灵之活动，遂益发达。兹括计之，其益有三。

一符号所包括之义,较实物为多。今若描画三角,其种不一。有等边、等角、直角、不等边诸形。而三角之符号,即三角一语,则勿论形象若何,凡属于三角者,皆包括之。又若"我"之一字,无量数人形象、思想、气质、欲望皆不同,而皆自称为"我"。此函括之义广也。

二符号之义易变。设有桂花于此,吾人无繇判别物质二者,盖物与质在实物固不能判离者也。自有符号乃能分析实物。"黄"之符号,所以代色。"香"之符号,所以代味。"小"之符号,所以代体。"花"之符号,所以代物。观念乃益发达。

三符号之义确。实物之相似,常相溷混。独以符号,得析别之。例如军人一队,以符号区别各士,较实物为清晰。

由是观之,心灵之活动,自以文字或以有意义之符号为思想。而后较实物追想之象,范围大扩。概念之于实物,譬犹纸币之于金币也。若吾人之币,纯以金制,则今日之私人贸易,国家财政,势必有所不行。设今有百万元于此,全为现金,则必囊橐累累,而计算必且旷时费日。若代以一叶之纸,加以笔画,以代表百万之符号。则其便利,灼然可见。故言语之符号,乃人类思想所必需之具。若一般动物,至今犹未出金币之时代也。故人之高出于动物,其故匪它,以其能思,而其进步则又原因于言语也。

综观上述,则人兽之异,知能之悬绝,非不可思议。人兽隔绝,言语使之然也。言语者,传达思想于社会之神经系,蕴集个人之稚弱思想知识,而成群智。依个人之了解力,自不便之实物界,而入于易变之概念思想界者也。

言语之大用,法屈唯野尝早论及。德言语学之鼻祖洪博德

（Humboldt）尝谓人之所以为人者，以言语。又曰，"欲发明言语，还先为人。"斯语也，今世学者所不敢苟同。盖言语非发明者，东方之仓颉，西方之卡德马（Cadmns）乌托之天才也。言语之起源缓渐，一字一字，创造而成。自兽之呼喊，渐发达成有用之具。结团体之组织，遂为生存竞争之利器，更经无量数年之长时代，自然之淘汰，言语乃渐完全美备。而言语与知识之关系，既非言语造知识，又非知识造言语。盖二者相提携并进者也。言语有进，则思想亦与并进。思想之进，亦即促言语之进。是犹二足相前后进，乃能步行。吾国近年来，言语之增殖，思想之进步，可以见矣。

（第二卷第六号，一九一七年二月一日）

人类文化之起源（三）

陶履恭

手及械具，人之祖先，即相聚为团体之生活，出林而入于野。更有利器，以与野兽争，是为手。手之自身，本不足为利器，而手之活动之结果，功效至巨，可称为利器之母。

言语通意，早见于群居之兽。手之活动，固亦见于动物界。猿之扶杖而行，揉木御敌，以树枝或有刺之果掷击之，或掷石为戏，以石击碎胡桃、牡蛎之属。秦盘古依木筑小室，与野人之居室绝相肖，凡此皆生物学家所观察者也。

故猿属已当木石之时代，而人之所以进化者，则以离木而履平地，犹今之态，常人立而以足跟行。唯人上身之肢体，以垂立而能自由活动。手遂为捆握之机关，适于新功用。然其去于猿之以石击胡桃者几稀，而人则能以石击石。坚硬之石（法国古物学者所谓拳击 Conp de Poing. 形似拳，用以击物也。）遂为人类最初之器械。坚硬之石，其用至广，可以代刀锯斧凿。睹一物之不能尽用，乃加以柄，刻以齿，利器之形殊而种类增。木之堕者，以之造掷击挖掘之杖，于是有枪戟棍棒，最后乃有刀弓矢桨之属。

自有械具，则物竞全依械具之进化，而武器之进化为尤要。群之相争，挥枪振斧于疆场之上，则不复仅依个人之体力。则人群之争竞,出物质界,而入于精神界,胜者不必体健,而重在准备防御胜人,是即知识胜人也。自是而后,精神心思之械具,遂日与物质之力相抵抗。而获胜之人类,进化之趋向,遂更渐脱动物界,而登人群进化之途。

自器械之发明,而自然文化之差别益著。那雷(Noire)曰:手所握之刀,直若自然之机械,手所不能者,器械代之。实则握刀之手,直若手外复成新手。勿论钻锥杯皿,斧凿枪炮,莫非更有力之手也。故人自有手之用,遂产出无数之器械。佛教末流,有膜拜千手千眼佛者,以为千手则力巨。而人类以手制作器械之多,实远胜于千手也。

人类之进化,自有机的范围,渐趋于文化范围,必有枢纽之点。而此枢纽之点,则舍言语发现之外,以手能制作之功为最大。

火之发见,文化滥觞时代最末之发见,是为取火。造言语、造器械二者,殆相辅而进,造火当在稍后。盖造火之工,较为复杂,且有待于知也。

古人造火,说者不一。今推想原人世界,当木器、石器之时代,既有器械,钻木久,则其旋转之运动发生火星。火星四散,烧燃及于苔藓之干燥者,由是遂有火之发见。古代原人造火方法,未必皆同,而要不外木石之相摩擦。设古人之居,依近火山,则炽热之熔岩,爆发之飞火,皆能应用。今日大洋洲岛屿中,有火山之土著,仍就火山之熔岩燔焙食物,或有民族依含铁之石而取火。今日以击石取火,为文化之最低级。火国及爱斯基摩之土著,犹以击石取火焉。

解释取火之法既不一说,而尤难之问题,则人类何故经困难费时力磨物以取火?人之祖先,所居不在寒带,其地燠暖,殆无求火之必要。人之欲以火燔炙食物,其用更鲜,盖原人口腹之欲性质偏于保守。幼所未习者,殆不肯啖,且钻燧取火,则火之破坏力,燃及野草,蔓延成燎原之势,必为原人所珍重。由是观之,火光之闪灼,金黄红绿之色,跳跃飘忽之焰,淡蓝之烟,氤氲成形,消灭生物,其势凶烈必惹先人之注意。儿童在野,见火之燃,必且以为悦目。持以入夜,万物暗黑,火力凶烈,其用尤显。潜伏之猎食,动物、狮虎之属,见火之燃,咸畏避不敢近,火亦卫人者也。

故先人取火初意,昼则取其娱目,夜则取其可畏,是则童稚所爱道,亦有文化之人类所未忘者也。德国言语学者盖格曾论此点曰:先人之爱火,非以其利民,非以其用,亦非以其生温,乃以其光耀炎赤之色。今敢断言者,则火之名,非来自温热,亦非来自燃烧消化之质或生损毁而来自红色,盖颜色之意义乃在最古。而人之取火,亦即以其颜色也。

综上所述,取火为文化胚胎期之终点。而文化胚胎期之亿兆年间,正当地质之第三期。人类渐别于一般动物,而发达最重要之点有二:两手之用,初不过为揉木之机关,乃复能直立于地,成制械具之械具,一也。言语发达,增人灵性,使人心相通,遂创出群智。久之社会本能,促进人类,为更高之组织,二也。故人类之超越群动物,卓越地上,非以其个人能力之显耀,乃以人之相群,集众为高级更有势力之组织,各种制度蔓延亘大地各社会。

今若比较文化各级之优劣,则个人与社会之关系,显然可指。近世文明之国家,视诸澳洲土著、锡兰畏陀(Veadlis)之群制,其相去为何如?且澳洲土著、锡兰畏陀之去于欧人更何如?盖社会之势力愈大,则个人依赖社会不能孤立也愈甚。设一人独处于野,所用之械具,凡文明人类之所有,咸自制造,无交换,无货币,则其人必为世上最穷困之人。唯人之与群相接触，受群力之陶熔，于是个人乃登于文化之高点。今举实例，此理益显。吾闻之新大陆之发见也，西班牙人苏塔士（Veddas）及其僚，于一五四〇年，登陆于美之南方，而所携食品用品不丰，牲畜饿毙，受火之药已绝，刀剑朽坏，衣履凋敝，卒乃著红印度人之服奋斗攻击，俨若印度人。文明孤立，不与群之相接触，必即返于野蛮獉狉之故态，于兹可见。而人之育于野者，未尝沾文化之影响，亦不过无知无识，不能言语之痴人而已。

人类文化之演进，依希米德之说，则尝经过廿四万年。吾兹所述，不过溯文化之起源，示其特点，以见先民出野入文之艰难。而文化发源时代，果当廿四万年间之若干分，则非吾所敢知。美国历史学者骆宾孙，掌教于哥伦比亚大学有年，尝就希米德所计算之年，拟为十二小时。每时凡二万年，而每分凡三百三十三年四月。设吾人正当十二时，则自一时以至十一时有半，人类文化之遗迹，殆不可寻。埃及、巴比伦之文明，乃仅在距今廿分、十分以前。希腊优美之文学，绝世之雕刻，乃在七分以前。文艺复兴，乃在一分以前。而瓦特之汽（轮）机，不过半分之生命。则人类迄于晚近，进步乃愈敏速，岂非至奇之事？而唤醒吾人以注意者耶。

（完）

（第三卷第一号，一九一七年三月一日）

中国国民性及其弱点

光　升

　　一国之政治状态，一国人民精神之摄影也。立国于宇宙之间，皆以其国民所计划所持循所需求者为之。而其发生之政治状态，即其所计划所持循所需求之结果。此所计划所持循所需求者，无以名之，名之曰国民之精神。政治学者，或别称之曰国民性，即一国民之思想也。盖一国民之思想，乃一国之种族地势气候学说政教等之所陶冶而成。既成矣，因其所陶冶者之各有畸毗，而长短优劣见焉。吾国以数千年开化之古国，据有全世界陆地十三分得一之领土，全人类四分得一之人口，中更数十朝家之纷争革命，以及五胡辽金胡元满清之侵略蹂躏。而吾伟大统一之民族，独维系团结而不散。迄于今日，所称埃及、腓尼基、罗马以及墨苏波达米亚诸古国，皆不过历史上之一名词。独吾则新命旧邦，绵延勿替，岿然为世界之灵光，此则吾国民可引以自豪者也。虽然易一面观之，凡社会经一次革命，必有一次进步。彼西方国民，由所谓阶级革命宗教革命政治革命，渐演渐进。以有今日者，胥是道也。吾国民既更数十朝家之纷争改革，以及五胡辽金胡元满清之侵略蹂躏，则所历之变乱，不可谓不多矣。乃起视国度民情政教风俗，恰如在模型之中，不可转动。殆数千年如一日，而且若退缩焉。申言之，即吾国民数千年来，所行者吾固有之政制，所守者吾固有之文化，而鲜有变通者也。今则由革命而共和矣。吾国民犹若视为旧史上更姓改朝之故事，而一无根本之觉悟，其何以与今日进步之时势相应哉。夫国民性之可欣可幸者如彼，而其可悲可惧者又如此，则其短长优劣之故，可得而言之。

一、种性。厥初生民，只一种人与一种人争。因天演公例，而优劣胜败之数以分。迟之又久，因移殖杂婚之结果，劣者遂吸收于优者，而为种族同化。因其同化力之强弱，而种族之分合大小见焉。溯吾汉人种起自西陲，沿黄河流域而东。所首先相遇者，即苗民是也。自是所谓东夷西戎南蛮北狄，环吾族而杂处相轧不相下者数千年。顾此诸族者，开化程度极低，虽有野蛮之武力，足以相持，而实无自有之文明，可以独立，其不能不折而入于汉族者势也。即如五胡辽金胡元满清之入主中夏，无不舍其历史性习，以渐染华风。当其盛也，暗恶叱咤而莫之能御。及其衰也，并其固有之丑类，皆烟消雾化，而无复片影之存。不似欧西种族如希腊、拉丁、斯拉夫、日耳曼、斯堪狄纳维亚、法兰克、盎格鲁撒逊等，皆有同一之能力，不可磨灭，遂滋生发达以各树一帜也。盖吾古来种族主义，有不与欧西同者，即彼采排斥主义，而吾采感化主义。自希腊分自由民奴隶之阶级，罗马袭之。所谓贵族平民罗马公民非罗马公民之争，亘数百年而不定，及条顿人种兴，此风愈烈。至今日各文明国内部所包含之各族，犹复孤居不化畛域分明者，皆排斥主义之结果也。我国自黄帝之征有苗，善者迁于邹屠，恶者迁于有北。《书》曰，"以亲九族，九族既睦。平章百姓，百姓昭明。协和万邦，黎民于变时雍。"九族百姓者，本族也。黎民，九黎之民，异族也。协和于变，即感化之意，苟能向化，皆一视而同仁。故淮泗伊洛之间，皆听夷戎杂居，直至有周而未尝驱除。盖叛则征之，服则舍之。是故族姓者，吾民族之表识也。传称黄帝二十五子，得姓者十有四人为十二姓。考其分封之迹，南及江水。故三代之世，所谓天子诸侯大夫士之族，殆无一不为此十二姓者之子孙。盖吾古先王分封之制，即为扩张本族势力以统驭异族而设。故吴楚越号称蛮夷，而皆以汉族为之君长。于是东南江海之滨，皆见汉人之足迹焉，及乎庄𫏋王滇，而吾汉族势力，被于西徼矣。尉佗帝越，而吾汉族势力，渐于南海矣。当封建之世，宗姓犹严。及井田破坏，民无定处。姓氏淆，而天下之人，皆得祖羲轩而宗颛顼矣。吾国种族之变化，尤以五胡之乱为一大关键。当此之时，北方衣冠旧族，既随晋南渡，以为南北文化之调和。而刘石苻姚，又各袭汉姓以据中土，及魏孝文改代北九十九姓，厉行胡汉杂婚。于是言张必清河，言李必陇西，无复与辨者矣。又况辽金元之子孙，因失国而袭吾族姓以留遗于中土者，实繁有徒。至今日犹所谓蛮夷、戎狄、羌羯、鲜卑、闽越瓯骆、耶律完颜、蒙古色目人之子孙乎，无有也，盖已吸收于汉人种而混而一之耳。今之言曰，五族共和。吾谓满洲人种，不过一历史上之名词。其语言文字历史等，已失成立之根据，将来必转化于汉人，可断言也。回民之人居内地，久与汉人混和，其信徒又半杂汉人。只可视为宗教关系，而非种族关系。至于蒙藏二族之向背，乃关系吾国内政外交者大，而为别一问题耳。若夫本部各行省内，除极少数淘汰未尽若生若灭之苗猺獠猓及若干融化禾熟之满人外，犹有何人不自承为汉人种者乎。称中国人曰黄帝子孙，盖真正炎黄血胤者十之七八，因婚姻杂居化合者十之二三。以近世民族意义言之，其皆为同一种族之民。今日国家，谓之领地团体，而非血族团体，即事实上亦无有以一血族组织一国者。然其种性究不可磨灭,而种族之纯驳,关系国家组织涣固者实大。观于今日奥之匈牙利问题,俄之波兰芬兰等问题,英之爱兰问题,以及巴尔干之斯拉夫问题,犹屡为政治上外交上之纠葛,庸得谓非种性为之乎。独吾以所称全世界陆地十三分得一之领土,全人类四分得一之人口之国,什九皆为同一种族之民所组织,此不可不为吾国民之一大特色也。

二、国性。国于大地,必有与立。所与立者,即国性是也。因其国性之纯驳,而国之大小分合,国祚之修短,皆由此分焉。昔者希腊人以独立自营为尚,成立数十之市府国家,而不能集而为一大组织。蒙古人之盛也,地跨欧亚,沿部落习惯,所得属土,悉以分配诸子弟。势分而力弱,遂不成一久大之国家。罗马人则尝成一大国矣。然卒东西分裂,不可复合,以至于亡。法兰克人亦然。沙列曼所创之大帝国,只一再传而遂分。凡此皆其国性之缺纯一坚固耳。吾国自黄帝东征西伐,设左右大监以监万国,而国家之基础以立。三代以来,朝诸侯有天下。有似欧洲中世之神圣罗马帝国,而少其纷更。及周之衰,天子守府,海内戴为共主,犹数百年而不废。嬴秦代之,遂成一统郡县之业。盖生民有欲,无主乃乱,为吾国立国主义之根源。孔子曰:"天无二日,民无二王。"孟子曰:"定于一。"皆此义也。至后世而遂演为正统之说。正闰之辨,真伪之别,称引天命,援据功德。若与君主政体为缘,其实即近世所称主权不可分割之义。典午之乱,神州陆沉,夷为邱墟者,殆三百年,吾汉族遗民,得保有江东。以待隋唐之混一者,何莫非此正统之思想以维系之,有宋之南渡也亦然。盖取春秋大一统以为义,虽强如项籍,成如王莽,贤如杨行密、周世宗,苟不足以抚有区夏而久安,皆夷于紫色蛙声而不足与存。大凡成一物体,必视其向心力以为离合。

组织愈密之物，其向心力亦愈坚。正统思想即吾国民向心力之所寄也。是故立国以来，所更祸乱亦夥矣。战国楚汉之交，三国六朝五代十国以及隋末元季之分争割据，少者十数年，多者数百载。然卒辗转吞并，归于合一。而不至为罗马帝国法兰克帝国之续者，非国民向心力之厚，曷克臻此。即如此次武昌之役，各省独立，国纲解纽，若以俄奥等之复杂国民当之，其不土崩瓦解者几希矣。然风驰电掣，不半稔而南北统一，政府告成，此尤吾纯一坚固之国性之表征也。

三、宗教性。人之生也，宗教性与种性，皆随禀赋以俱来。今日政教分离，宗教似无甚关系。然在古代则尝酿重大之纷扰。彼欧洲各国，其始基督教与犹太教争。抵排虐杀，纷扰者数百年。继则基督教与回教争，卒成十字军之大战，纷扰者又数百年。迨至近世基督教分新旧两派，为宗新教又以宗派之歧，互生轧轹。

如英国异教徒，以本国不容，逃于新世界。而最近巴尔干各小国与土耳其人冲突，犹是宗教纷扰之余波。故读欧洲古来之历史，大抵皆教争之历史也。吾国教争之事，于古无见。即至后世，以儒教定于一尊。而佛道二教，亦并行于社会。盖视教为补助政化所不逮，而不倚为门户阶级之争。即有如魏太武之去佛存道，周武帝之尊儒除佛道，唐初之尊道毁佛，亦不过当事者偶然好尚之结果。不旋踵而复故，未尝酿政治上之纷扰。迨近年耶教人，往往酿成民教之纠葛。此则外交上国势上之关系，非教争也。或谓中国人宗教信仰薄弱，故团结力不坚，而少奋往直前之概。是说也，吾人亦无以易之。然试览欧洲数千百年教争之血史，究属利害各居其半。而吾国民独能脱然于此种魔障之外，亦自有可为庆幸者也。

吾国民既具此三特性，即可征语言文学历史思想之同一，而为纯粹之民族国家,可行和平均一之政制,宜可以稳进而蕲发达矣。然而其结果乃适得其反者,何也？则以吾国民性固有绝大之数弱点在焉。

其一则缺乏自由思想也。自由有表里两面,自消极方面言之,为不羁;而自积极方面言之,为权利。自由思想,即权利思想,由人格主义而来。人格者,即法律上能享权利尽义务之主体也。古代专制国家,持国家万能主义,而不认有个人人格,遂无自由权利之可言。自近世进步之国家理想,承认人格主义,而个人乃获得法律上之地位。国家虽有任意改废法律以伸缩人民自由之权,而必无不依一定信条以干涉人民之事。此各立宪国之个人自由如言论结社出版居住等之自由,所以占宪法之一部也。个人服从国家,与奴隶牛马之服从于人者不同。奴隶牛马无人格,一切待命主人,故鞭挞戮辱任意。而个人则一方立于国权之下,一方犹自有独立之人格。故国家与人民,乃两人格者间之法律关系,即权利义务之关系也。国家对于人民,有统治权,人民则须服从之,是为人民之义务。人民对于国家,有国民权,即广义之自由权(包含宪法所保障之自由权及参政权公力请求权)。国家不敢侵犯之,是为国家之义务。国家而不认个人之自由,是蔑视个人人格,而为国家之不法矣。盖个人为构成国家之一支体,与通常器械之支体对于本体之关系不同。通常器械之支体,专为本体而役。其支体自身,不能为独立之存在。而个人则为国家之一支体以外,同时犹有独自生存之目的,其目的殆占人类生活之大部。于此有大部独自生存目的之个人,不认以相当之自由,则人民之能力精神,穷屈而无由发舒,必反乎此者而人类生活,乃有回旋展布之余地,此近世国家发达之要件也。吾国建国最古,国家主义早立,而于个人人格之认识独啬。

《书》曰,"生民有欲,无主乃乱"。其于国家之缘起,及夫主权统一之义,发挥已无余蕴。又曰,"民为邦本,本固邦宁",曰,"众非元后何戴,后非众罔与守邦"。此说明个人与国家之关系,不可谓不至矣。然独未尝离国家而认个人之存在。旧说九流,皆谈治术。其理论之秩然足述者,则为儒、道、法三家。道家游心于玄默,使国家与个人,皆沦于惝恍迷离之境者,不论矣。法家之言曰,"民强国弱,民弱国强"。人而不为国效用如隐逸者流,皆可杀。是全不认有个人自由,其极至于惨礉少恩斩艾屠狝而不惜。儒家反之,一方尊君,一方又策君爱民。其视弱民之说有间矣。然自政治真义言之,民亦何所用其爱哉。人民对于国家,有应尽之义务,有应享之权利。于其应尽者而不求多,于其应享者而不削少足矣。安事噢咻孑煦为也。夫爱之云者,特恩惠之名词,人而为人所爱,惟立于依赖地位,而必不有其权利之可以主张。康德曰:"以仁爱为国,则其政府为专制。而视人民为孩提为未成年者,遂使其自由权利销归乌有矣。"此之谓也。若是则儒家之爱民与法家之弱民虽有仁暴宽狭之不同,而其根本不认有个人之自由则一也。自法家之言,秦一用之而败,遂为学者所讳言。迨汉武罢黜百家,而言治道者乃一折衷于孔子。孔子曰:"民可使由之,不可使知之。"于是愚民者窃之以为柄。韩愈氏引申其义曰:"民者出粟米麻丝作器皿通货财以事其上者也,民不出粟米麻丝作器皿通货财以事其上,则诛。"是故西方国民,自古罗马之世,即有平民贵族之争。意大利公民权之争,延及中近世。所谓不出代议士不纳租税人身保护律权利请愿等。人民之要求自由者,不绝于史。则其相摩相荡,渐演渐进。以有今日者,非一朝夕之故矣。而吾民则数千年来,托政府为恩主,以盲从为义务。其桀纣幽厉暴秦亡隋以及一切衰朝末世之暴君污吏残民以逞者无论矣。即刑措如成康,小康如"文景""贞观""庆历"。所谓流风善政夐绝千古者,亦不过轻刑敛与民休息而已。吾民惟侥幸于道德上之生存,而终未占有法律上之地位。甚至外族入主,如五胡辽金胡元满清之世,吾民亦惟偷安苟活于其淫威之下。偶有一得,即俯仰颂祷而不能自已。盖人民之无自觉心久矣。彼为奴隶者,苟得慈善主而事之,何尝不有一日之安乐乎？然不得以此谓奴隶之有自由也。数千年来政体民智沉滞废顿而一无竞进者以此。

其二则缺乏法治思想也。法治思想,由自由思想而出。盖各个人皆立于法律保障之下,始有真实确固之自由也。与法治主义相对者,则有德治主义。人类之所以形成国家者,乃以保安全长幸福。与增进道德之目的,殆不相关。故曰,国家者形式的强制组织也。即国家强制作用,只能为形式上之干涉,而不能为精神上之干涉也。人之精神,藏于内部,必非政治之力所能侵入。执道德主义为政,消极行之,不免空言而无效。积极行之,且有危险之结果。盖道德者,至高美而至无标准。孰规定是,孰操制是,徒为强者所持以制服弱者之具。故德治实与力治为缘者也。昔孟子以德力别王霸,其实德者力之外衣,而力者德之内衬。专制之世,流血漂橹,僵尸百万。以为一家之私产,而曰除暴安民。御下以威,一言之忤,系组伏剑,义无迟回,而曰君臣无狱。东朝西贡,竭天下以奉一人,威福玉食由已,而曰惟辟宜然。庄子所谓侯之门仁义存者此也。秦皇帝之颂曰德过三皇,后世君主,虽虐比桀纣幽厉,亦尸神圣文武之号。以道德自饰,并以道德戮人。故怨望有诛,腹诽有诛,心怀不轨有诛。而欧洲中世且以违反宗教而死者不知凡几。怨望也,腹诽也,心怀不轨也,宗教之信仰也,皆属于精神道德之事。而以政治干涉之，其流毒至此。故德治与自由思想绝不相容者也。若法律者，媺美虽不可定，而矩矱则有可循。弱者得依托以为安，即强者亦范围而不过。盖德治者，不恃法而恃人。人之性格不定，法之程限有常。故德治易流为专制，而法治可企于平等也。且德治云者，自政治理想言之，则为太平之极轨。自进化阶级言之，实则野蛮之陋风。盖太古家族团体，宗教制度，人人日匍匐于家长教主之前。仰如神圣帝天，一听其以意思为生杀予夺。所谓古无道德法律之别者，实无所谓法律也，但有道德耳。迨团体分子膨胀，欲望渐增，人智亦渐进，仅此简单道德不足以维持平和也。于是取向来团体内所行之习惯，附以强制程序，使有所守，而法生焉。迟之又久，智欲更进，生活关系愈繁，而法亦愈密焉。是故法治为社会进化之阶梯，脱野蛮道德拘挛而入开明法律组织。此人类生活关系由简单进于缜密，由恐怖进于稳固之一大关键也。吾国夙以德礼立国。孔子曰："道之以政，齐之以刑，民免而无耻。道之以德，齐之以礼，有耻且格。"而法家则谓德为民之仇仇，法为民之父母。此儒法两家德治法治之大争点也。儒者之言德治有二义：一曰德政，由出治者下膏泽于民，所谓以德行仁是也；一曰德教，使天下人胥化于德，所谓明德新民是也。法家最粹之言曰，"君臣上下尊卑贵贱皆从法"。是即国家主义之真诠，而其极则谓弱民以强国，全不认有个人自由，又可谓之绝对的国家主义。儒家者，一方采国家主义，一方又重家族主义。盖犹袭古代宗法社会之遗。夫是以重德轻法，虽谓之"家族的国家主义"可也。当春秋战国之世，百家争鸣。卓然见治效于政界者，先为法家，如管仲子产申不害商君李悝。其最著者，自秦任发而败。申商之法，乃为学者所讳言。且其惨礉少仁恩和义，易为战乱困敝之民所厌忌。故温和之儒教，得起而代之。而儒家之家族主义，又适宜于农业生活之人民。此秦汉之际儒法两家消长之原因也。希腊人之立国也，重文轻法，颇近于中国之儒术政治。乃罗马代之，饰政刑，尚实用，遂一跃而入于国家主义时代。道德主义，重名分，尚礼义，其弊宽慢虚伪而鲜实用。法律主义，明利害，务施报，其弊烦琐刻覈而少蕴藉。故罗马法系之国，以重实利之过。至于父子兄弟之伦，泛泛然如萍梗之相值。此似有不如中国者。然自国家主义言之，彼曰权利，而吾曰仁义。彼曰竞争，而吾曰礼让。卒之礼让流为颓靡，仁义遁于空虚。数千年人智国力沉滞而寡进者，虽欲不谓为德治之敝不可也。夫道德之流于宽慢虚伪也。其故由于秩序不整，而侥幸乘焉。界限不严，而依赖乘焉。未若法律则事事为之界限，不相侵越。以养成人人秩序之心。如是依赖之途绝，而竞奋生，宽慢者归于肃厉矣。侥幸之门杜，而真实尚，虚伪者化于诚信矣。盖依赖与侥幸，皆极不道德之事。而实起于道德，其弊之所必至耳。吾以道德立国而今所啬转在道德者此也。

其三则缺乏民治（国民政治）思想也。国者全国民之公共集合体也。则一国之政治，应合一国之民谋之，理固然也。然古代国家幼稚，国民政治思想薄弱。此公共集合体之政权，类为个人或少数阶级所窃据，于是有君主专制贵族专制政体之发生。夫此贵族专制君主专制，行之古代，往往收重大之效果。自国际竞争剧烈，各国民之自觉心愈盛，而国家之组织，亦因之一变。盖古代国家，利在消极之维持。故仅借一人或少数人之力可以有济。近代国家，利在积极之发达。非合全国大多数人之力，不足以图存，于是立宪政治，乃代专制政治而兴。全国政事，不专使一人或少数人垄断，而必公之全国国民，而其作用则为代议制度。使全国之民之精神能力，有所托以为国家之用，即所谓"国民政治"是也。彼白皙人民，自古即有参政权之要求。及十八九世纪大革命起，国民主义，弥漫天地。而各国立宪政体，以次成立。发荣滋长，至今日而其功用大见矣。吾国自孔子有一人定国之说。孟子曰，"一正君而国定矣"。此足代表吾国人之政治思想。数千年来，株守君主专制。所谓文武兴则民好善，幽厉兴则民好暴。举全国人之荣悴休戚，惟视一二人之仁暴以为转移。然在昔时不与世界相见，自生灭于一国之内，听其一治一乱而不求进步，犹可耳。乃至今世而其势大绌矣。人各挟其国民主义以谋我，而我惟恃一孤危之政府以对之，是以一二人敌抗亿万人也。庸有幸乎！今则改制共和矣。秉政者仍狃于政府万能主义，国人不改其自来梦想圣君贤相之心，欲以争存于今之世界难矣。

(第二卷第六号，一九一七年二月一日)

礼论

吴　虞

　　《老子》曰："上德不德,是以有德。下德不失德,是以无德。上德无为而无以为,下德为之而有以为。上仁为之而无以为,上义为之而有以为。上礼为之而莫之应,则攘臂而扔之。故失道而后德,失德而后仁,失仁而后义,失义而后礼。夫礼者,忠信之薄,而乱之首也。"李宏甫注曰:"无为也而亦无为也,是谓上德,黄帝是也。其次虽为之而实无为,是谓上仁,尧之仁如天是也。又其次不唯为之,而且有必为之心,是上义也,舜禹以下圣人是也。夫失道而德,失德而仁,失仁而义,至于失义而礼,则所以为之者极矣。故为而不应,则至于攘臂。攘臂不应,则刑罚甲兵。相因而起矣,是乱之首而忠信之薄也。"《礼运》郑康成注曰:大道,谓五帝时也。天下为公,公犹共也。禅位授圣,不家之。天下为家,传位于子,谋用是作,兵由此起,以其违大道敦朴之本也。禹、汤、文、武、成王、周公,由此其选也,能用礼义以为治。此六君子者,未有不谨于礼者也。是谓小康。大道之人,以礼于忠信为薄。言小安者,失之则贼乱将作矣。孔颖达疏曰:自大道之行,至是谓大同,论五帝之善。自大道既隐,至是谓小康,论三王之后。为公,谓揖让而授圣德,不私传子孙,即废朱均而用舜禹是也。选贤与能,明不世诸侯。国不传世,唯选贤与能,黜四凶举十六相是也。干戈攻伐,各私其亲,是大道去也。天下为家者,父传天位与子,是用天下为家也,禹为其始。五帝犹行德,不以为礼。三王行为礼之礼,故五帝不言礼,而三王云以为礼也。其时谋作兵起,递相争战,禹汤等能以礼义成治,故云由此其选。周既礼道大用,何以老子云失道而后德,失德而后仁,失仁而后义,失义而后礼?礼者,忠信之薄,道德之华,争愚之始。故先师准纬侯之文,以为三皇行道,五帝行德,三王行仁,五霸行义。若失义而后礼,岂周之成康在五霸之后。所以不同者,老子盛言道德质素之事,故云此也。礼为浮薄而施,所以抑浮薄,故云忠信之薄。据李宏甫、郑康成、孔颖达之说,则老子所谓道德,乃指三皇五帝之世公天下而言。确有所指,非如谢无量所谓仅为仁义未起以前之状态而已。老子所谓仁、义、礼,即指三王、五霸以来家天下而言。其曰失道而后德,失德而后仁,失仁而后义,失义而后礼,即指皇降而帝,帝降而王,王降而霸之世也。禹、汤、文、武、成王、周公六君子者,皆家天下之君臣。故莫不谨于礼,而以礼为人君之大柄,仅得小安。失之则臣弑其君,子弑其父,而贼乱作矣。故必用礼为纪,以正君臣,以笃父子,以睦兄弟,以和夫妇。然不知道德之本,各私其私。而陈恒、齐简之君臣,晋献、申生之父子,郑庄、叔段之兄弟,鲁桓、齐姜之夫妇终不绝于世也,则礼之为用末矣。

《文子》曰:"为礼者,雕琢人性,矫拂其情。目虽欲之,禁以度。心虽乐之,节以礼。趋翔周旋,屈节卑拜,肉凝而不食,酒澄而不饮,外束其形,内愁其德,钳阴阳之和,而迫性命之情,故终身为哀人。何则?不本其所以欲,不原其所以乐,而防其所乐。是犹圈兽而不塞其垣,禁其野心;决江河之流,而壅之以手……夫礼者,遏情闭欲，以义自防。虽情心咽噎，形性饥渴，以不得已自强，故莫能终其天年。礼者，非能使人不欲也，而能止之。乐者，非能使人勿乐也，而能防之。夫使天下畏刑而不敢盗窃（王介甫《礼论》曰，凡为礼者，必诎其放傲之心，逆其耆欲之性。莫不欲逸而为尊者劳，莫不欲得而为长者让。擎跽曲拳，以见其恭。夫民之于此，岂皆有乐之心哉，患上之恶己而随之以刑也），岂若使人无盗心哉！"（韩非曰，古之让天子者，是去监门之养而离臣虏之劳。古传天下而不足多也。今之县令，一日身死，子孙累世絜驾，故人重之。是以人之于让也，轻辞古之天子，难去今之县令者，厚薄之实异也。盖大同敦朴，君行民近，故禅授而弗矜。小康浮薄，君贵民贱，故争斗而勿绝。项羽曰，彼可取而代也。英布曰，欲为帝耳。是其证也。）故知其无所用，虽贪者皆辞之。不知其所用，廉者不能让之。又曰，廉耻陵迟，及至世之衰，害多而财寡，事力劳而养不足，民贫苦而忿争生，是以贵仁。人鄙不齐，比周朋党，各推其与，怀机巧诈之心，是以贵义。男女群居，杂而无别，是以贵礼。性命之情，淫而相迫于不得已，则不和，是以贵乐。故仁义礼乐者，所以救败也，非通治之道也。故德衰然后饰仁义，和失然后调声，礼淫然后饰容。故知道德，然后知仁义不足行也；知仁义，然后知礼乐不足修也。故曰，道散而为德，德溢而为仁义，仁义立而道德废矣。又曰，循性而行谓之道，得其天性谓之德，性失然后贵仁义，仁义立而道德废，纯朴散而礼乐饰，是非形而百姓眩，珠玉贵而天下争。夫礼者，所以别尊卑贵贱也。义者，所以和君臣、父子、兄弟、夫妇人道之际也。末世之礼，恭敬而交，为义者布施而得。君臣以相非，骨肉以生怨也。故水积则生相食之虫，土积则生自肉之狩，礼乐饰则生诈伪。又曰，深行之谓之道德，浅行之谓之仁义，薄行之谓之礼智。又曰，修道德即正天下，修仁义即正一国，修礼智即正一乡。夫文子者，老子之弟子。其分别道德、仁义、礼智之高卑深浅与其弊之所极，可谓至明白矣。是故道家则贵道德，庄子言道德菲薄仁义是也。儒家则主仁义，孟子专尚仁义而不及道德是也。其次如荀卿，则一切本诸礼。最后如荀卿之门人李斯、韩非则以智术为尚而专用法（吾国法家所立之法，不过命令而已。与今世之所谓法律由议院议决者不同），而吾国专制之祸于是益烈矣。盖自礼运以礼为人君之大柄，荀卿隆礼义而杀诗书。《唐律》十恶大不敬条疏议曰，礼者敬之本，敬者礼之舆。故《礼运》云，礼者君之柄。而儒家所主张礼、乐、仁、义之效，亦可睹矣。

《隋书·礼仪志》曰："自犬戎弑后，迁周削弱，礼失乐微，风俗凋敝。仲尼预蜡宾而叹曰，'丘有志焉。禹、汤、文、武、成王、周公，未有不谨于礼者也'。"秦氏以战胜之威并吞九国，尽收其仪礼归之咸阳，唯采其尊君抑臣以为时用。至于退让起于趋步，忠孝成于动止，华叶靡举，鸿纤并摈。汉高既平秦乱，枚赏元勋，未遑庙制，群臣饮酒争功，或拔剑击柱，高祖患之。《叔孙通言》曰，儒者难与进取，可与守成。于是请起朝仪而许焉，犹曰：度吾能行者为之。微习礼容，皆知顺轨。若祖述文武，宪章洙泗，则良由不暇，自畏之也。《汉书·叔孙通传》曰，臣愿颇采古礼与秦仪杂就之。习之月余，通曰，上可试观。上使行礼，曰吾能为此，乃使群臣肄习。会群臣朝十月，谒者治礼。至礼毕，尽伏置法酒。诸侍坐殿上，皆伏抑首，以尊卑次起上寿，觞九行，谒者言罢酒。御史之执法举不如仪者辄引去，竟朝置酒无欢哗失礼者。于是高帝曰，吾乃今日知皇帝之贵也。是则今日礼据隋志言之，更非文武、洙泗之旧，仅采秦氏尊上抑下之旨。于是叔孙窃圣人之号，汉高知皇帝之贵。始溺孔

礼论

氏之儒冠,终享孔氏以太牢。自汉迄今,滔滔不返,而其害酷矣。

苏明允《礼论》曰:彼圣人者,必欲天下之拜其君父兄何也,其微权也。彼为吾君,彼为吾父,彼为吾兄,圣人之拜不用于世。吾与之皆坐于此,皆立于此,比肩而行于此,无以异也。吾一旦而怒,奋手举挺而搏逐之可也。何则?彼其心常以为吾侪也,不见异于吾也。圣人知人之安于逸而苦于劳,故使贵者逸而贱者劳。且又知坐之为逸,而立且拜之为劳也。故举其君父兄坐之于上,而使之立且拜于下。明日彼将有怒作于心者,徐而自思之,必曰,此吾向之所坐而拜之且立于其下者也。圣人固使之逸而使吾劳,是贱于彼也。奋手举挺以抟逐之,吾心不安焉。刻木而为人,朝夕而拜之,他日析之以为薪而犹且忌之。彼其始木焉而已,犹且不敢以为薪。故圣人以其微权而使天下尊其君父兄,而权者又不可以告人,故先之以耻,然后君父兄得以安其尊,以至于今(此即有子其为人孝悌,则不犯上作乱之意也)。苏子瞻《始皇论》曰,圣人忧民之桀猾变诈而难治也,是故制礼以反其初。礼者,所以反本复始也。圣人非不知箕踞而坐,不揖而食,便于人情,而适于四体之安也。将必使之习为迂阔难行之节,宽衣博带,佩玉履舄,所以回翔容与而不可以驰骤。上自朝廷而下至于民,其所以视听其耳目者,莫不近于迂阔。其衣以黼黻文章,其食以笾豆簠簋,其耕以井田,其进取选举以学校,其治民以诸侯。嫁娶死丧,莫不有法。严之以鬼神,而重之以四时,所以使民自尊而不轻为奸。故曰,礼之近人情者,非其至也。周公、孔子所以区区于揖让升降之间,丁宁反复而不敢失坠者,世俗之所谓迂阔,而不知夫圣人之权固在于此也。吕东莱曰(《经义考周礼引》),朝不混市,野不逾国,人不侵官,后不敢干天子之权,诸侯不敢潜天子之制,公卿不牟商贾之利,九卿、九牧相属而听命于三公,彼皆民上也。而尺寸法度不敢逾,一毫分寸不敢易,所以习民于尊卑等差阶级之中(礼之精意从此求之),消其逼上无等之心,而寓其道德之意(此道德乃指世俗所谓忠、孝、节、义之道德,非道家所谓之道德也)。是以民服事其上而下无以觊觎,贱不亢贵,卑不逾尊,一世之人,皆安于法度分寸之内(法度分寸,即指尊、卑、贵、贱、上、下之阶级等差)。志虑不易,视听不二,易直淳庞,而从上之令(礼之作用如此。制礼者用心之深远,魄力之伟大,吾亦不得不佩服之)。父召其子,兄授其弟,长率其属,何往而非五礼、六乐、三物、十二教哉。观苏氏父子及东莱之言,虽未明道德仁义礼降失之次第,及礼之兴于家天下之后之故,而于制礼者偏重尊贵长上,借礼以为驯扰制御卑贱幼下之深意,则已昭然若揭矣。是故,福泽谕吉之论吾国曰,支那旧教,莫重于礼乐。礼者,使人柔顺屈从者也。乐者,所以调和民间郁勃不平之气,使之恭顺于民贼之下也。呜呼!以福泽谕吉之言,证明允子瞻东莱之说,而后知圣人之嘉惠吾卑贱下民者至矣。宜乎晋人讲老庄之学如阮嗣宗辈,谓礼非为我辈设也。

《后汉书·陈宠传》曰:礼经三百三千,故甫刑大辟二百,五刑之属三千。礼之所去,刑之所取。失礼则入刑,相为表里。孟德斯鸠曰,支那政家,合宗教、法典、仪文、习俗四者于一炉而冶之,凡此皆民之行谊也,皆民之道德也。总是四者之科条,而一言以括之曰,礼。使上下由礼而无违,斯政府之治定,政府之功成矣。此其大经也。顾支那为民上者之治其国也,不以礼而以刑。彼欲民之由礼,而其力不能得,则相与殷然持刑而求之,使天下之民皆漓然丧其常德。夫景教宗风,以人道相亲为根本。其为仪文也,事天平等,法会无遮,故其所求于人类在合。而支那礼之所重,在严天泽之分,谨内外之防,峻夷夏之辨,故其所成于民德在分。知分之为事,最近于专制之精神。知分之出于专制,而吾国之礼意可推矣。刘申叔《法律学史》序曰、《汉书·艺文志》云:法家者流,出于理官。信赏必罚,以辅礼制。儒家者流,不尚成文之法典,以居敬行简临民,以为古代圣王准理以制义,故即用礼以止刑。礼禁未然之先,法施既然之后。此儒家所由崇教化也。又儒家制礼,首重等差(《中庸》云,亲亲之杀,尊贤之等,礼所生也。盖儒家之论等差,一曰亲疏之别,二曰贵贱之差,凡名物制度咸因此而生差别,是儒家以礼为法也)。以礼定分(《礼运》曰,礼达而分定。《荀子·大略篇》亦曰,礼者,法之大分也),以分为理。凡犯分即为犯律(《王制》曰,凡听五刑之说,必原父子之亲,立君臣之义以权之)。故出乎礼者入于刑(《礼》曰,罪多而刑五,丧多而服五,是礼刑相与为表里也)。是则儒家所谓法典者,不外礼制之文而已。观陈宠、孟德斯鸠及刘申叔之说,吾国之礼与刑实交相为用。故《礼运》以礼为人君之大柄,而《汉书·刑法志》称大刑用甲兵。专制之国,其御天下之大法,不外礼与刑二者而已,而礼刑皆以尊、卑、贵、贱、上、下之阶级为其根本,此学者所宜深求而熟考者也。

孟德斯鸠曰:雅里斯多特穆常穷计极思,以摧散国民之武德,以柔蛊其少壮之精神。则令国中少年宜蓄发作髻如女子,簪花弄姿为五色奇衣,锦襜褕令长及踵,从师执乐器、习歌舞。出必有女子为持伞执扇,薰兰麝甲煎,浴则献比疏,列青铜镜以供,号为教育。至于弱冠,然后习他业。夫以如是为教育,所深喜者,独暴主民贼耳。彼暴主民贼,固一身之逸乐无患是求,而国权之弱且衰,诚非所计及。严几道论之曰,雅里氏之所为,虽秦政之销钟镰、毁兵杖,无以过之。顾使当日秦不为彼而为此,中国之人将以为无道与否，未可知矣。何则？褒衣大袑，儒者之饰也。而五色奇服，固前代至今所不禁。而侍女添香，宫人执扇，含鸡舌，冠骏𩌁，皆先朝法制。廊庙且犹用之，况闾阎乎？观此，又知霸主民贼改正易服，制礼作乐，别有一番深意，中外所同，一经勘破，从此推寻，迎刃而解。独不知孔氏问礼于老聃，亦略闻大同小康之绪论。老聃博古达今，通礼乐之原，明道德之归。何以孔氏背其本师，舍道德，崇仁义，主张家天下之小康而偏重于礼，殆由其以于禄为心，汲汲于从政。三月无居，栖栖惶惶，自比匏瓜，贻讥丧家之狗。下拜南子，思赴佛肸，所干至七十二君之多，急于求沽。以礼为霸者时君所须，可以使贵贱有等，长幼有差，贫富轻重皆有称，意在趋时阿世。故曰君使臣以礼，又曰礼让为国。盖专制之朝，极之由礼而止，道德非其所尚也。二千年来，儒者自尊为礼义之邦，沿流不返。曾国藩之徒，至谓古之学者，无所谓经世之术，学礼焉而已。不仅宗教、法典、习俗、仪文归之于礼，即天文、地理、军政、官制、盐漕、赋税、科学、历史莫不萃集其中。礼之为事，宏巨如是，可谓诞谩矣。士大夫既高曾相传，视礼为天经地义，弗悟其非。苟询其何以当尊，何以当贵，亦瞠目而莫明其理，唯漫应曰，古圣人之制也。吁可嗤矣。故夫谈法律者，不贵识其条文，而贵明其所以立法之意。言制者，不在辨其仪节，而在知其所以制礼之心。余故略举诸家之言而论之如此，冀大雅宏达之教诲焉。

(第三卷第三号，一九一七年五月一日)

偏激与中庸

北京大学理科学生　胡哲谋

《新青年》杂志出版，余得而读之，见其持论雄伟，不囿成见，不避物议，务以真理名言启发青年之思想，私心钦服，不可名状。唯数日以来，耳目之所接，赞成斯志者固不乏人，而反对之者实繁有徒。反对者之言，大抵皆为"矫枉过正""失之偏激"等似是而非之语。余惧其言之动听容易摇惑我青年之心志也，不揣谫陋，作此以辟之。非敢有所阿好也，心有所见，不容自己，聊以贡之于我青年之前耳。

我国人有一最大之通病，即人人皆好自居中庸，而不肯稍出偏激，是已，此言似亦近于偏激。然事实如此，余亦不能不冒偏激之恶名，而悍然言之也。夫偏激者何？坚信一己所独到之见，积极猛进。真理所在，则赴之如赴戎行。不特以身赴之，且号召与共利害有关之人以同赴之。其所号召之言，容有过当。然皆确有所见者是也。中庸者何？不问时势之适否，不问事理之是非，而唯持一中立调和之态度，成则居其功，败则不任其责。其所主张虽或有近于是者，然要皆折中两间，非自心之确有所见者是也。夫天下之事，有可以为中庸之论断者，有不可以为中庸之论断者。世界时势万变，有可以取中立态度之时，有不可以取中立态度之时。而我国人则往往于不可取中立态度之时，对于不可为中庸论断之事，而仍取中立之态度，为中庸之论断。驯至今日，于是每建一议举一事，人人皆不欲表一异众之意见，而唯以模棱两可之言为不二法门。其结果，遂养成一弱懦寡断、迂缓不进、毫无真知灼见之民族性。吁！可慨矣。

夫中庸，美德也。然使中庸不能成事，则中庸为无用矣。偏激，恶德也。然使偏激能成事，则偏激为有功矣。斯既信矣，则试取东西各国历史观之。自来天下大事业成于偏激者夥乎？成于中庸者夥乎？自来大英雄大豪杰其能创一新理成一巨业，使后世永食其赐者，有能不取剧烈之手段，冒偏激之恶名，排众议历万险，甚至牺牲其一己之生命名誉而不顾者乎？赵武灵王胡服骑射，国以强盛。夫欲强国则整兵备而已，胡服奚为者。然而卒赖之以强盛者，非此则莫能起积弱也，斯偏激之效也。斯巴达人习俗，年少者不与以饮食，必使之行窃而后得之。其窃之成功者则嘉奖之，窃而被捕者则挞之不稍惜，曰是无用者也。此非亦偏激之甚者乎？然而斯巴达人至今以勇特闻，斯则又偏激之效也。拿破仑曰："'难'之一字，唯愚人之字典中有之。"夫天下固多难事矣，拿翁此言，亦偏激之尤甚者。然而法人为此言所感发，卒以成天下最难成之事，斯则又偏激之效也。夫能成事斯善矣斯美矣，不能成事斯恶矣。庸知其初本为偏激抑为中庸乎？然则偏激与中庸孰美孰恶，亦可见矣。

譬之治病，热症者则治之以寒剂，寒症者则治之以热剂。非不知寒剂之偏于寒，热剂之偏于热也。然而治热必以寒，治寒必以热者，对症而发药也。夫中庸温剂也，不问时势之若何，事理之是非，而动辄责人必取中庸之道，而勿出之偏激者，是亦犹不知病情，不

偏激与中庸

问寒热,而责人皆以温剂进也。

　　世界大势,无日不在变迁之中。立国于世界上,其政治制度、文物艺术,无日不当作更新求全之计。三千年前之文化,必不适用于三千年之后。一百年前之文化,必不适用于一百年之后。此非特势所使然,实亦理所必然也。盖人类之进化,实无异于个人之进化。青年时代之知识,必高于幼年时代之知识。中年时代之知识,又必高于青年时代之知识也。然当其变更之际,必有多少之阻力。其故则因人类有天然之惰性,往往喜苟安陈旧,而不喜变更。唯有二三明哲之士,知变更之必不可少,惰性之必不可纵,毅然决然以实行其所见。而又痛夫国人之沉湎苟安,不知自新,乃不得已,出为危言以警觉之,出为偏激之言以调剂之。而此沉湎苟安之国人,恶其言之异己也,恶其所提创者非己之所素习也,乃往往极力排斥之阻碍之。呜呼,夫良药苦口而利于病,而世之人往往以其苦口也遂屏之而不御。不特屏之而不御,且又弃掷之污蔑之,曰是无用之药也。是矫枉过正者也,亦可谓不智之甚者矣。此二三明哲之士,既不见信于世,而自命中庸之辈,承其余绪调和两间,去其过于偏激者,而存其易于实行者,以告于国人曰,此我折中之办法也。国人亦以一番之警觉激刺,其惰性稍杀,于是变更之事,乃得稍稍见诸实行。此自命中庸之辈,亦遂施施然以成功自诩于世。而孰知其所成功者价值殊微,向使彼二三明哲极进之士得行其志,其所成功必不止于此也。呜呼,读人类进步之历史,每一事之结果,必不及我人最初之希望,未尝不太息痛恨于中庸之败事也。

　　夫此二三之士,非不知其所主张者之近于偏激也,亦非不知其偏激之主张,必为时俗所诟病也,而顾不惮冒时俗之所大不韪,而出为偏激之论者,则亦深知非如此必不能有大裨于国家也。含盐基性之水，欲使之成中性，必稍加酸性之液。夫酸性则诚偏于酸矣，然而非以此，则此盐基性之水必无由成中性也。若仅加多量中性之水，则虽尽倾五大洋，亦只能使其盐基性渐成稀弱，断不能使之完全消灭也。夫事之无裨于其群者，则虽如中庸何用？事之有裨于其群者，则偏激又何妨？彼二三之士所图者，无非欲利其群。苟利其群矣，则享其成功者，不必在我。而提创之鼓进之，则我辈之责也。此所以忧时爱国之士，宁为偏激之论，而不屑同流合污自居于中庸。

夫所以恶夫矫枉过正者，恶其矫之之结果过于正也，非恶其为过正之矫也。夫矫枉者必矫之稍过于正，而其结果仅乃得正。若矫之仅及于正，则其结果仍为枉矣。此亦事理之显见者。夫矫之之结果过正与否，非可在其矫之之时而贸然断定之也，必事成而后见也。即欲为之预断，亦必先细审此已枉之程度为何如，矫之者过正之程度又何如，然后乃可揣而定之也。呜呼，不知我国之言论家动辄斥人为矫枉过正者，亦计及此否？吾正恐吾国诸事既枉之程度已深且固，虽矫之甚过于正犹不能正之也。

东西洋之文化，因地势民情种种之不同遂大相驰异。其间虽亦有相同之点，然究竟其不相同者，实远过于相同者。此两文化既不相同，其为孰优孰劣，余不敢言。然自近世东西洋交通以来，我东洋诸国乃日趋于劣败之地位，唯日本一国知旧文明之不足恃，极力改张，乃得稍稍与西洋诸国相抗衡。余者非已被征服被保护，则亦苟延残喘而已。夫国家既处于劣败之地位矣，则非其文化之咎而更谁归？时至今日，我国人如尚不承认西洋之文化为优于我则已矣。如尚以谓我之旧文化，实有足以使我自立于世界而不致于劣败则已矣，如其不然，则除奋然变计，极力改张外，更无他道。夫模仿他人者,非自弃者也;庞然自大者,乃自弃者耳!我愿国人勿仍为"用夷变夏"一语所慑服,而踌躇不前也。

然当此变更之际,此必不能免之阻力,实强顽异常。吾国民之惰性,又极坚固。如沉疴之久缠,非薄剂所能起,如极浓之盐基性液,非淡水所能消。欲使国之免于危亡,是在我少数忧时爱国之士冒偏激之恶名,取极进之手段,不惜以身为烈剂如强酸,以与此强顽之阻力相抗而已。

请为之结论曰:中庸者,无损于己无益于人者也。夫既处于群中,而不能有益于其群,则即谓之有害于群可也,乡愿之道德也。偏激者,损己利人者也。夫既处于群中,而能有利于其群,则实亦有利于己者也,国士之道德也。外患日迫,国亡无日,我青年宜知所择矣。

(第三卷第三号,一九一七年五月一日)

质问《东方杂志》记者

陈独秀

《东方杂志》与复辟问题

《东方杂志》第十五卷六号,译载日本《东亚之光》杂志《中西文明之评判》一文,同号该志论文《功利主义与学术》,又四号该志之《迷乱之现代人心》,皆持相类之论调。《东方杂志》记者既译载此文,又别著论文援引而是证之,其意可见矣。余对于此等论调,颇有疑点,条列下方,谨乞《东方杂志》记者之赐教。

(1)《中西文明之评判》文中,其重要部分,为征引德人台里乌司氏评论中国人胡某之著作。按欧战前后类于此等著书,唯辜鸿铭氏有之,日本人读汉音辜、胡相似,其或以此致误。辜老先生之言论宗旨,国人之所知也,《东方杂志》记者其与辜为同志耶?敢问。

(2)弗兰士氏谓:台里乌司氏承认孔子伦理之优越,又云:胡君对于民主的美国宁对于德国之同情较多。夫孔子之伦理如何,德国之政体如何,辜鸿铭、康有为、张勋诸人,固已明白昌言之,《东方杂志》记者亦赞同之否?敢问。

(3)《功利主义与学术》文中有言曰:"二十年来,有民权自由之说,有立宪共和之说。民权之与自由,立宪之与共和,在欧美人为之,或用以去其封建神权之旧制,或借以实现人道正义之理想,宜若非功利主义所能赅括矣。而吾国人不然,其有取乎此者,亦以以盛强著称于世之欧美人尝经过此阶级,吾欲比隆欧美而享盛强之幸福,不可不步趋其轨辙耳。"诚如《东方杂志》记者之言,岂主张国人反对民权自由,反对立宪共和,不欲比隆欧美不享盛强之幸福耶?敢问。

(4)自广义言之,人世间去功利主义无善行。释迦之自觉觉他,孔子之言礼立教,耶稣之杀身救世,与夫主张民权、自由立宪共和诸说,以去封建神权之革命家,以及《东方杂志》记者痛斥功利主义之有害学术,非皆以有功于国有利于群为目的乎?余固彻头彻尾颂扬功利主义者也。功之反为罪,利之反为害,《东方杂志》记者倘反对功利主义,岂赞成罪害主义者乎?敢问。

(5)《东方杂志》记者误以贪鄙主义为功利主义,故以权利竞争为政治上之功利主义,以崇拜强权为伦理上之功利主义,以营求高官厚禄为学术上之功利主义,功利主义果如是乎?敢问。

(6)《东方杂志》记者谓:"此时之社会,于一切文化制度,已看穿后壁,只赤条条地剩一个穿衣吃饭之目的而已。"夫古今中外之礼法制度,其成立之根本原因,试剥肤以求,有一不直接或间接为穿衣吃饭而设者乎?个人生活必要之维持,必不可以贪鄙责之也。《东方杂志》记者倘薄视穿衣吃饭,以为功利主义之流弊,而何以又言"犹有一事为功利主义妨阻学术之总因,则此主义之作用,能使社会组织剧变,个人生计迫促,而无从容研学之余暇,是也"。原来《东方杂志》记者亦重视穿衣吃饭如此,岂非与"君子谋道不谋食,忧道不忧贫"之非功利主义相冲突乎?敢问。

（7）《东方杂志》记者以反对功利主义故，并利益多数国民之通俗书籍文字而亦反对之；然则《东方杂志》记者之所为文章，何以不模仿周诰殷盘，而书以篆籀，其理由安在？敢问。

（8）《东方杂志》记者以反对功利主义故，并教育普及亦而反对之；竟云："教育普及。而廉价出版物日众，不特无益学术，而反足以害之。"夫书籍之良否，果悉以售价之高下为标准乎？上海各书局之出版物，售价奇昂，果皆有益于学术者乎？欧美各种小册丛书，售价极廉，果皆无益于学术者乎？倘谓一国之文化，重在少数人有高深之学，不在教育普及，则欧洲中古寺院教育及今之印度婆罗门亦多硕学奇士，以视现代欧美文化如何？敢问。

（9）伧父君《迷乱之现代人心》文中，大意谓："中国周孔以来，儒家统一，思想界未闻独创异说者，此我国之文明，即我国之国基。乃自西洋学说输入，思想自由，吾人之精神界中，种种庞杂之思想，互相反驳，遂至国基丧失，可谓之精神界之破产。于是发生政治界之强有力主义，此主义即以强力压倒一切主义主张；当是非淆乱之时，快刀斩乱麻，亦不失为痛快之举。古人有行之者，秦始皇是也；今人有行之者，德意志是也。唯此种强力，吾国此时尚不可得，乃发生教育界回避是非之实用主义。此主义为免思想界各种主义相反相抵之纷扰，亦自可取；唯其注重物质生活，而弃置精神生活，其弊也，中国胡氏，德人台里乌司言之颇中肯。吾人今日迷途中之救济，决不希望陷于混乱矛盾之西洋文明，而当希望于己国固有之文明。"云云。余今有请教于伧父君者：（一）中国学术文化之发达，果以儒家统一以后之汉、魏、唐、宋为盛乎？抑以儒家统一以前之晚周为盛乎？（二）儒家不过学术之一种。倘以儒术统一为国是、为文明，在逻辑上学术与儒术之内包外延何以定之？倘以未有独创异说为国是、为文明,将以附和雷同为文明、为国是乎?则人间思想界与留声机器有何区别?(三)欧洲中世,史家所称黑暗时代也,此时代中耶教思想统一全欧千有余年,大与中土秦、汉以来儒家统一相类。文艺复兴后之文明,诚混乱矛盾,然比之中土,比之欧洲中世,优劣如何?(四)近代中国之思想学术,即无欧化输入,精神界已否破产?假定即未破产,伧父君所谓我国固有之文明与国基,是否有存在之价值?倘力排异说,以保存此固有之文明与国基,能否使吾族适应于二十世纪之生存而不消灭?(五)伧父君谓:"吾人在西洋学说尚未输入之时,读圣贤之书,审事物之理,出而论世,则君道若何,臣节若何……关于名教纲常诸大端,则吾人所以为是者,国人亦皆以为是,虽有智者不能以为非也,虽有强者不能以为非也。"伧父君所谓我国固有之文明与国基,如此如此。请问此种文明,此种国基,倘忧其丧失,忧其破产,而力图保存之,则共和政体之下,所谓君道、臣节、名教、纲常,当作何解?谓之迷乱,谓之谋叛共和民国,不亦宜乎?(六)伧父君之意,颇以中国此时无强有力者以强力压倒一切主义主张为憾;然则洪宪时代,颇有此等景象,伧父君曾称快否?(七)伧父君谓:"古代教育,皆注重于精神生活;今之教育,则埋没于物质生活之中。"又云:"吾人今日在迷途中之救济,决不能希望于自外输入之西洋文明,而当希望于固有之文明。"请问伧父君古代之精神生活,是否即君道、臣节及名教、纲常诸大义?或即种种恶臭之生活?(伧父君所称赏之胡氏著作中,曾谓:中国人不洁之癖即中国人重精神不重物质之证。)西洋文明,于物质生活以外,是否亦有精神文明?我中国除儒家之君道、臣节、名教、纲常以外,是否绝无他种文明?除强以儒教统一外,吾国固有之文明是否免于混乱矛盾?以希望思想界统一故,独尊儒家而黜百学，是否发挥固有文明之道？伧父君既以为非己国固有文明周公、孔子之道，决不足以救济中国，而何以于《工艺杂志》序文中（见第十五卷第四号《东方杂志》），又云："国家社会之进行，道德之向上，皆与经济有密切之关系。而经济之充裕，其由于工艺之发达。十余年以来，有运动改革政治者，有主张提倡道德者；鄙人以为工艺苟兴，政治道德诸问题，皆迎刃而解。非然者，虽周、孔复生，亦将无所措手。"是岂非薄视周公、孔子而提倡物质万能主义乎？今后果不采用西洋文明，而以固有之文明与国基治理中国，他事之进化与否且不论，即此现行无君之共和国体，如何处置？由斯以谈，孰为魔鬼？孰为陷吾人于迷乱者？孰为谋叛国宪之罪犯？敢问。

（10）《中西文明之评判》之中有云："此次战争，使欧洲文明之权威，大生疑念。"此言果非梦呓乎？敢问。

（11）胡氏谓："中国之文化为完全，较之欧洲文化，著为优良。"又云："至醇至圣之孔夫子，当有支配全世界之时；彼文人以达于高洁，深玄，礼让，幸福之唯一可能之道；故诸君（指西洋人）当弃其错误之世界观，而采用中国之世界观，此诸君唯一之救济也。"此固不但谓非中国固有之文明，不足以救济中国，更进一步，而谓"欧洲人非学于我等中国人不可"。（胡氏原语）案辜鸿铭氏夙昔轻视欧洲之文明，即在欧人之伦理观念（即此文之所谓世界观），以其不知君道、臣节、名教、纲常诸大义也。辜氏于政治，力尊君主独裁之大权，不但目共和为叛逆，即英国式之君主立宪，亦属无道。彼意以为一国中，只应有上谕而不应有宪法。宪法者，不啻侵犯君主神圣，破坏君道、臣节、名教、纲常之怪物也。此等见解之是非，姑且不论。《东方杂志》记者诸君倘以为是，则发行此志之商务印书馆何以不用欧洲文译中国书,输出君道、臣节、名教、纲常诸优良文明以救济世界,却偏要用中国文译欧洲书,输入混乱矛盾之文化,以乱我中国圣人之道,使我中国人思想自由,使我中国人国是丧失,精神界破产,迷乱而不可救济耶?敢问。

(12)台里乌司氏谓:"欧洲之文化,不合于伦理之用。此胡君之主张,亦殊正当;胡君著作之主旨,实在于此。彼以其二千五百年以来之伦理的国民的经验,视吾欧人,殆如小儿;吾人倾听彼之言论,使吾人对于世界观之大问题,怅然有感矣。"彼迂腐无知识之台里乌司氏,在德意志人中,料必为崇拜君权反对平民共和主义之怪物,其称许辜氏之合理与否,兹不必论。独怪《东方杂志》记者处共和政体之下,竟译录辜之言而称许之。岂以辜氏伦理上之主张为正当耶?敢问。

(13)台里乌司氏谓:"欧洲之道义,全属于物质的。伦理之方面,即以赏罚之概念为主。中国在纪元前五百年,既有大心理学者,从精神之根本动机,说明善为自成与自乐,非依酬报而动者。"按此即伦理学上动机论与功利论之分歧点,亦即中西文化鸿沟之一也。此二者之是非且不论,今所欲论者,动机论之伦理观,岂中国所独有而欧洲所无乎?所以造成今日欧洲之庄严者,非进化论发达以来,近代 Utilitarianism 战胜古代 Asceticism 及基督教之效乎?敢问。

(14)胡氏谓:"欧洲人在学校所学者,一则曰知识,再则曰知识,三则曰知识;中国人在学校所学者,为君子之道。"夫个人人格之养成,岂不为欧校所重?即按之实际,欧人中人格健全所谓 Gentleman 者,其数量岂不远胜于我中国人乎?崇拜孔夫子之中国人,其人格足当君子者,果有几人?且智、力、德三者并重,为近代教育之通则；若夫 Herbart 派之专事外行之陶冶，及胡氏所谓学为君子之道，果为完全教育乎？敢问。

（15）台里乌司氏称"中国人三岁之儿童，在学校中学中国大思想家之思想；德国人在学校，于自国文化之高顶，绝不得闻"。夫教儿童以大思想家之思想，果为教育心理学原则之所许乎？试观中国、印度及回教各民族之儿童教育，皆以诵习古圣经典为重，其效果如何？敢问。

（16）台里乌司氏承认孔子伦理之优越，而视欧西之伦理，为全然物质主义。且推赏胡氏之著作，谓微妙锐利，无逾于此书。而胡书（氏）书中曾谓，中国人不洁之癖，为中国人重精神而不注意于物质之一佐证。不知所谓精神者，为何等不洁之物？敢问。

以上疑问，乞《东方杂志》记者一一赐以详明之解答，慎勿以笼统不中要害不合逻辑之议论见教；笼统议论，固前此《东方杂志》记者黄远庸君之所痛斥也。

（第五卷第三号，一九一八年九月十五日）

再质问《东方杂志》记者

陈独秀

记者信仰共和政体之人也,见人有鼓吹君政时代不合共和之旧思想,若康有为、辜鸿铭等,尝辞而辟之;虑其谬说流行于社会,使我呱呱坠地之共和,根本摇动也。前以《东方杂志》载有足使共和政体根本摇动之论文,一时情急,遂自忘固陋,竟向《东方杂志》记者提出质问。乃蒙不弃,于第十五卷十二号杂志中,赐以指教,幸甚,感甚。无论《东方杂志》记者对于前次之质问如何非笑,如何责难,即驳得身无完肤,一文不值,记者亦至满意。盖以《东方杂志》记者既不认与辜鸿铭为同志,自认非反对臣权自由,自认非反对立宪共和,倘系由衷之言,他日不作与此冲突之言论,则记者质问当时之根本疑虑,涣然冰释,欣慰为何如乎。惟记者愚昧,对于《东方杂志》记者之解答,尚有不尽明了之处;倘不弃迂笨,对于下列所言,再赐以答,则不徒记者感之,谅亦读者诸君之所愿也。

(1)辜氏著书之志,即在自炫其二千五百年以来君道臣节、名教纲常等之固有文明,对于欧人无君臣礼教之伦理观念,加以非难也。《东方杂志》记者既郑重征引其说,且称许之,则此心此志当然相同。前文设为疑问者,特避武断之态度,欲《东方杂志》记者自下判断耳。不图《东方杂志》记者乃云:"夫征引辜氏著作为一事,与辜同志为又一事；二者之内包外延，自不相同。"此何说耶？夫泛泛之征引，自不发生同志问题。若征引他人之著作，以印证自己之主张，则非同志而何？譬若记者倘征引且放许尼采之"强权说"或托尔斯泰之"无据抗说"当然自认与尼采或托尔斯泰为同志；以其主张之宗旨相同也。记者未云：辜鸿铭主张君臣礼教，《东方杂志》记者亦主张君臣礼教，由是而知《东方杂志》记者即辜鸿铭，且并未云：《东方杂志》记者乃辜鸿铭第二。但以《东方杂志》记者珍重征引辜氏生平所力倡之言论宗旨，且称许之，遂推论其与辜为同志。倘谓此二者内包外延自不相同，所推论者陷于谬误。则此等逻辑，非记者浅学所可解矣。

（2）德国政体，君主政体也。孔子伦理，君臣等之五伦也。君臣尊卑者，孔子政治伦理之一贯的大原则也。辜鸿铭、康有为、张勋皆信仰孔子之伦理与政治，主张君主政体者也。此数者，本身之全体虽为异物，而关于尊重君主政体之一点，则自然互相连缀。《东方杂志》记者倘承认吾人思想域内有观念联合之作用，自不禁其并为一谈。德国政体君主政体也。孔子伦理尊君之伦理也。此二者，当然可并为一谈。辜鸿铭所主张之孔子伦理，尊君之伦理也。其所同情之德国政体，君主政体也。此二者，当然可并为一谈。辜鸿铭之所言，尊孔也，尊君也。张勋之所言，亦尊孔也，尊君也。此二者，更无不可并为一谈。孔子伦理，尊君之伦理也。张勋所言所行，亦尊君也。当然可作一连带关系。此数者，关系尊重君主政体之一点，乃其共性。苟赞同其一项者，则其余各项，当然均在赞同之列。诉诸逻辑，"凡尊崇孔子伦理，而不赞同张勋所言所行，为其人之言不顾行者也"。《东方杂志》记者对于前次之质问，未曾将此数项所以不能并为一谈之理由，及各项中赞同者何项，不赞同者何项，一一说明。但云："对于《新青年》记者所设问题，以为过于笼统，不能完全作答。"《东方杂志》记者之答词，如此笼统，则《新青年》记者，未免大失所望。

（3）民权自由立宪共和与功利主义，在形式上虽非一物，而二者在近世文明上同时产生，其相互关系之深，应为稍有欧洲文明史之常识者所同认也。所谓民权，所谓自由，莫不以国法上人民之权利为其的解，为之保障。立宪共和，倘不建筑于国民权利之上，尚有何价值可言？此所以欧洲学者或称宪法为国民权利之证券也。不图《东方杂志》记者，一则曰："欧美民权自由立宪共和之说，非功利主义所能概括；吾国人之为此，则后于功利主义。"再则曰："夫批评功利主义之民权自由，非反对民权自由。批评功利主义之立宪共和，非反对立宪共和。"是明明分别功利主义之民权自由立宪共和，与非功利主义之民权自由立宪共和为二矣。以记者之浅学寡闻，诚不知非功利主义之民权自由立宪共和果为何物也。《东方杂志》记者以应试做官之读书及金钱运动之选举，比诸功利主义之民权自由立宪共和，斯亦过于设解功利主义，拟不于伦矣。《东方杂志》记者谓可以逻辑之理审察之，则所谓逻辑者，其《东方杂志》记者自己发明之形式逻辑乎。否则应试做官之读书，乃读书者腐败思想；金钱运动之选举，乃选举中违法行为；功利主义之所谓权利，主张所谓最大多数之最大幸福等，乃民权自由立宪共和中重要条件。若举前二者以喻后者，为之例证，所谓因明与逻辑，得谓为不谬于事实之喻与例证乎？

（4）通常所谓功利主义，皆指狭义而言；《东方杂志》记者之所非难者，亦即此物，此不待郑重声明者也。惟广狭乃比较之词，最广与最狭，至于何度，是固不易言也。余固彻头彻尾颂扬功利主义者,原无广狭之见存。盖自最狭以至最广,其间所涵之事相虽殊,而所谓功利主义则一也。《东方杂志》记者所排斥之功利主义,与余所颂扬者虽云广狭不同,即至最狭,亦不至与其相反之负面同一意义。但在与其负面相反以上,虽最狭之功利主义,与《东方杂志》记者所排斥者同一内包外延,余亦颂扬之。盖以功利主义无论狭至何度,倘不能证明其显然为反对之罪害事实,无人能排斥之也。倘排斥之,自不能不立于与其相反之地位。《东方杂志》记者乃不谓此推论为然,且设一例证云:"'凡反对图利之人,即赞成谋害者;凡反对贪功之人,即赞成犯罪者。'此推论果合乎否乎?"余则以此不足为非反对功利主义,即赞成罪害主义之证明。盖以功利主义与图利贪功,本非一物;若以恶意言之(既以其人谋利贪功而反对之,必其为不应谋而谋,不应贪而贪之恶方面也),且与功利主义为相反之负面。审是,则图利与谋害,贪功与犯罪,同属恶的方面,而无正负之分。固不能谓反对其一者必赞成其一,若夫功利主义之与罪害主义,为相反之正负两面,反对其一者为赞成其一,不容两取或两舍也。《东方杂志》记者以此例证批评记者推论之不合,合前条所举之例证观之,得发现其有一共同之误点。其误点为何?即《东方杂志》记者不明功利主义之真价值,及其在欧美文明史上之成迹,误以贪鄙不法、苟且势利之物视之。其千差万错,皆导源于此。《东方杂志》记者,倘亦自承之乎?

(5)自根本言之,学术无所谓高深。其未普及之时,习之者少,乃比较地觉其高深耳。且今日柏格森之哲学,可谓高深矣。乃其在大学公开之演讲,往各国游行之演讲,听众率逾千人。贩夫走卒,亦得而与焉。此非高深亦可普及之一例乎?况《东方杂志》记者以高深学术为教育文化中心之说,记者本不反对。特以其专重高深之学,而蔑视普及教育,遂不无怀疑耳。明言"教育普及而廉价出版物日众,不特无益学术,反足以害之"。此非谓教育普及廉价出版物日众,为有害学术之事乎？谓为有害学术,非反对而何耶？不图《东方杂志》记者复遁其词曰:"所谓廉价出版物之有害学术者,自指勃氏所言之书报及坊肆中诲盗诲淫之书而言。"夫诲盗诲淫之书,与廉价出版非同一物,与教育普及更毫无关系。今反对诲盗诲淫之书,不知以何因缘而归罪于廉价出版,更不知以何因缘而归罪于教育普及。《东方杂志》记者倘承认其因噎废食之推论为不谬,最好再归罪于仓颉之造字。《东方杂志》记者强不承认明说,"教育普及,廉价出版物日众,有害学术",为反对教育普及之言,已觉可怪。复设一相类之例以自证曰:"民国成立而定期出版物日多,言论荒谬如某日报之鼓吹某事,杂志之主张某说云云,则此例中所指为言论荒谬者,自然指某日报某杂志而言。若以此例所言为'反对民国,反对出版物,以定期出版物为荒谬'。果当乎否乎？"余以为《东方杂志》记者此等例证,只益自陷于谬误而已,未见其能自辩也。此例之文倘改曰:"自民国成立以来,定期出版物日众,其中佳者固多,唯言论荒谬如某日报之鼓吹某事,某杂志之主张某说。"此不过泛论当时出版界之现象,或无语病之可言。因其所谓荒谬者,乃专指某日报某杂志而言,与民国成立而定期出版物日多,不生因果连带之关系也。今《东方杂志》记者所设之例,其本意之反对民国反对定期出版物与否不必论。第据其例词,显然以民国成立而定期出版物日多为之因,以某日报某杂志之言论荒谬为之果,二者打成一片,未尝分别其词,虽欲谓之非反对民国、非反对定期出版物而不可得也。以此比证前例,亦以教育普及而廉价出版物日众为之因,以有害学术为之果,虽欲谓之非反对教育普及而不可得也。倘易其词曰："教育普及而廉价出版物日众,学术因以发展。唯若勃氏所言之书报及坊肆中海盗海淫之书,则不特无益学术,反足以害之。"使《东方杂志》记者如此分别言之,不使海盗海淫有害学术之书,与教育普及廉价出版发生因果连带之关系,虽欲谓之反对教育普及而亦不可得也。

(6)学术之发展,固有分析与综合二种方向,互嬗递变,以赴进化之途。此二种方向,前者多属于科学方面,后者属于哲学方面,皆得谓之进步,不得以孰为进步、孰为退步也。此综合的发展,乃综合众学以成一家之言,与学术思想之统一,绝非一物。所谓学术思想之统一者,乃黜百家而独尊一说。如中国汉后独尊儒术罢黜百家,欧洲中世独扬宗教遏抑学术,是也。易词言之,即独尊一家言,视为文明之中心,视为文化之结晶体,视为天经地义,视为国粹,视为国是。有与之立异者,即目为异端邪说,即目为非圣无法,即目为破坏学术思想之统一,即目为混乱矛盾庞杂纠纷,即目为国是之丧失,即目为精神界之破产,即目为人心迷乱。此种学术思想之统一。其为恶异好同之专制,其为学术思想自由发展之障碍,乃现代稍有常识者之公言,非余一人独得之见解也。《东方杂志》记者之所谓分化,当指异说争鸣之学风,而非谓分析的发展。所谓统整,当指学术思想之统一,而非谓综合的发展。使此观察为不误,则征诸历史,诉之常识,但见分析与综合,在学术发展上有相互促进之功,而不见分化与统整,在进化规范上有调剂相成之事。倘强曰有之,而不能告人以例证,则亦无征不信而已。反之统整(即学术思想之统一)之为害于进化也,可于中土汉后独尊儒术,欧洲中世独扬宗教征之。乃《东方杂志》记者反称有分化而无统整,不能谓之进步,且征引"中国晚周时代,及欧洲文艺复兴以后之文明,分化虽盛而失其统整,遂现混乱矛盾之象"以为例证。夫晚周为吾国文明史上最盛时代,与欧洲近代文明之超越前世,当非余一人之私言。不图《东方杂志》记者因其学术思想不统一也,竟以"混乱矛盾"四字抹杀之,且明言以晚周与汉魏唐宋比较其文明,不能谓其彼善于此,诚石破天惊,出人意表矣。即以汉魏唐宋而论,一切宗教思想、文学美术,莫不带佛道二家之彩色,否则纯粹儒家统一,更无特殊之文化可言。盖文化之为物,每以立异复杂分化而兴隆,以尚同单纯统整而衰退。征之中外历史,莫不同然,《东方杂志》记者之所见,奈何正与历史之事实相反耶。《东方杂志》记者又云:"至于文明之统整,思想之统一,绝非如欧洲黑暗时代之禁遏学术,阻碍文化之谓,亦非附和雷同之谓。"按欧洲中世所以称为黑暗者无它,以其禁遏学术阻碍文化故。其所以禁遏学术阻碍文化者亦无它,乃以求文明之统整思想之统一故。夫统一与黑暗,皆比较之词。黑暗之处,乃以统一之度为正比例。一云统一,即与黑暗为邻,欧洲中世特其最甚者耳。《东方杂志》记者倘不以欧洲黑暗时代之禁遏学术,阻碍文化为然,亦当深思其故也。《东方杂志》记者以"孔子之集大成,孟子之拒邪说,皆致力于统整者"为高,复以"后世大儒亦大都绍述前闻未闻独创异说"为贵,此非附和雷同而何?此非以人间思想界为留声机器而何?《东方杂志》记者意谓:"吾夫在西洋学说尚未输入之时,本有圣经贤传名教纲常之统一的国是,今以西洋学说之输入,乃陷于混乱矛盾,乃至国是丧失,乃至精神界破产。遂至希此"强有力主义,果能压倒一切主义主张,以暂定一时之局"。此非禁遏学术阻碍文化而何?《东方杂志》记者一面言"吾人不宜仅以保守为能事","西洋学说之输入,夙为吾人所欢迎","尽力输入西洋学说",一面乃谓"西洋在中古以前,宗教上之战争与虐杀,史不绝书,其纷杂而不能统一,自古已然。文艺复兴以后,思想益复自由,持独到之见以风靡一世者,如卢梭、达尔文等,代有其人。而集众说之长,立群伦之鹄者,则绝少概见"。(记者按:西洋学者,若康德、孔特、卢梭、达尔文、斯宾塞之流,莫不集众说以成一家言,为世宗仰。只以其族尊疑尚异,贵自由独到。不欲独定一尊,以阻碍学术思想之自由发展,故其新陈代起,日益美备。《东方杂志》记者乃以其不独定一尊谓为立群伦之鹄者绝少概见。其病在不细察文化之实质如何,妄以思想统一与否定优劣,不知适得其反也。)又谓:"吾人今日在迷途中之救济,决不能希望于自外输入之西洋文明,而当希望于亡国固有之文明,此为吾人所深信不疑者。盖产生西洋文明之西洋人,方自陷于混乱矛盾之中,而亟亟有待于救济。吾人乃希望借西洋文明以救济吾人,斯真问道于盲矣。西洋人之思想,为希腊思想与希伯来(犹太)思想之杂合而成。希腊思想,本不统一,斯笃克派与伊壁鸠鲁派,互相反对,其后为希伯来思想所压倒。文艺复兴以后,希伯来思想又被希腊思想破坏。而此等哲学思想,又被近世之科学思想所破坏。今日种种杂多之主义主张,皆为破坏以后之断片,不能得其贯串联合之法,乃各各持其断片,欲借以贯彻全体,因而生出无数之障碍。故西洋人于物质上虽获成功,得致富强之效,而其精神上之烦闷殊甚。"(按:《东方杂志》记者所非难之西洋文明,皆在中古以前及文艺复兴以后,殆以其思想不统一之故乎。独思想统一之中古时代,则未及之。不知《东方杂志》记者之所谓宗教上之战争与虐杀,正以正教统一,力排自由思想之异端,造成中古黑暗时代耳,此非中古以前文艺复兴以后之所有也。)似此一迎一拒,即油滑官僚应付请托者之言,亦未必有此巧妙也。若此等"战争与虐杀"之文明,

"自陷于混乱矛盾"之文明,"破坏以后之断片"之文明,"精神上烦闷"之文明,《东方杂志》记者明知其不足为"吾人今日在迷途中之救济",乃偏欲尽力输入而欢迎之。是直引虎自杀耳,岂止"问道于盲"已耶?《东方杂志》记者其狂易耶?不然,明知"此等主义主张之输入,直与猩红热、梅毒等之输入无异",何苦又主张尽力输入而欢迎之,不更使吾思想界混乱矛盾不能统一,使吾精神界破产,使吾国是丧失耶?是则愚不能明也。

若云"西洋之种种主义主张,骤闻之,似有与吾固有文明绝相凿枘者,然会而通之,则其主义主张,往往为吾固有文明之一局部,扩大而精详之者"耶,若假定此等"丙种自大派"(见本志五卷第五号五—六页第十三行)之附会穿凿为不谬,则《东方杂志》记者所诅咒西洋文明之恶名词,皆可加诸吾固有文明之上矣。既认定其为吾固有文明之一部,且扩大而精详之,又何独以其在西洋而诅咒之耶?若云"尽力输入西洋学说,使其融合于吾固有文明之中"耶,将输入其同者而融合之乎?使其所谓同者为非同,则附会穿凿耳;使其所谓同者为真同,则尽力输入为骈枝,为多事。将输入其异者而融合之乎?则异者终不能合,适足以使吾人思想界增其混乱矛盾之度,非所以挽回国是之丧失,精神界之破产,而为吾人迷途中救济之道也。无已,唯有仍遵《东方杂志》记者"不希望于自外输入西洋文明"之本怀,且用"强力压倒一切主义主张"之方法,使吾国数千年统整之文明不致摇动,则《东方杂志》记者之主张,方为盛水不漏也。

《东方杂志》记者又谓:"民视民听,民贵君轻,伊古以来之政治原理,本以民主主义为基础。政体虽改而政治原理不变,故以君道臣节、名教纲常为基础之固有文明,与现时之国体,融合而会通之,乃为统整文明之所有事。"呜呼！是何言耶！夫西洋之民主主义（Democracy）乃以人民为主体，林肯所谓"由民（by people）而非为民（for people）"者，是也。所谓民见民听，民贵君轻，所谓民为邦本，皆以君主之社稷——即君主祖遗之家产——为本位。此等仁民爱民为民之民本主义（民本主义，乃日本人用以影射民主主义者也。其或径用西文Democracy，而未敢公言民主者，回避其政府之干涉耳），皆自根本上取消国民之人格，而与以人民为主体由民（主）主义之民主政治，绝非一物。倘由《东方杂志》记者之说，政体虽改而政治原理不变，则仍以古时之民本主义为现代之民主主义，是所谓蒙马以虎皮耳，换汤不换药耳。毋怪乎今日之中国，名为共和而实不至也。即以今日名共和而实不至之国体而论，亦与君道臣节名教纲常，绝无融合会通之余地。盖国体既改共和，无君矣，何谓君道？无臣矣，何谓臣节？无君矣，何谓君为臣纲？如何融合，如何会通，敢请《东方杂志》记者进而教之，毋再以笼统含混之言以自遁也。若帝制派严复"大总统即君"之谬说，乃为袁氏谋叛之先声。今无欲自称帝之人，《东方杂志》记者谅不致袭用严说，重为天下笑欤。

就历史上评论中国之文明，固属世界文明之一部分，而非其全体。儒家又属中国文明之一部分，而非其全体。所谓君道臣节、名教纲常，不过儒家之主要部分而亦非其全体。此种过去之事实，无论何人，均难加以否定也。至若《东方杂志》记者所谓，《新青年》"于共和政体之下，不许人言固有文明中有君道臣节、名教纲常诸大端"，又云，"固有文明中有君道臣节、名教纲常诸大端，乃已往之事实，非《新青年》记者所得而取消。已往之事实既不能取消，则不能禁人之记忆之、称述之"。斯可谓支吾之遁词也矣。吾人不满于古之文明者，仍以其不足支配今之社会耳；不能谓其在古代无相当之价值，更不能谓古代本无其事，并事实而否认之也。不但共和政体之下，即将来竟至无政府时代，亦不能取消过去历史中有君道臣节、名教纲常及其他种种黑暗之事实。若《东方杂志》记者之所云，匪独前次质问中无此言，即全部《新青年》亦未尝有此谬说。前次质问中所谓：共和政体之下，君道臣节、名教纲常，当作何解者？乃以《东方杂志》记者力言非统整己国固有君道臣节、名教纲常之文明，不足以救济精神界之破产，不足以救济国是之丧失，不足以救济国家之灭亡。然若实行以强力压倒一切主义主张，恢复君道臣节、名教纲常，以图思想之统整，以救国家之灭亡，则无君臣之现行制度，不知将以何法处之？疑不能明，是以为问。非谓吾固有文明中无君道臣节名教纲常，而欲取消历史上已行之事实，禁人记忆之、称述之也。《东方杂志》记者所谓焚书坑儒，所谓前清专制官吏，动辄以大逆不道谋为不轨之罪名，压迫言论，此正君道臣节、名教纲常时代以强力压倒一切主义主张者之所为。而混乱矛盾之共和时代，或不至此。公等倘欲享言论自由，主权利而恶压迫，慎毋反对混乱矛盾之西洋文明，慎毋梦想思想统整，而欲以强力压倒一切主义主张以自缚束也。

（7）《东方杂志》记者所谓"原文明言强有力主义之不能压倒一切，反足酿乱"，今细检原文，未见有此。有之则所谓"特恐其辗转于极短缩之周期中，愈陷吾人于杌陧彷徨之境耳"。于表示欢迎之下，紧接此词。盖唯恐其寿命不长，未能压倒一切为憾；固非根本反对强力主义，谓为足以酿乱也。其他极力赞扬之词则曰：

> 强有力主义者……即以强力压倒一切主义主张之谓。当是非

淆乱之时，快刀斩乱麻，亦不失为痛快之举……古之人有行之者，秦始皇是也。百家竞起，异说争鸣。战国时代之情状，殆与今无异；焚书坑儒之暴举，虽非今日所能重演；而如此极端之强有力主义，实今后世之人，有望尘勿及之叹。今日之欧洲，又与我之战国相似，乃有德意志主义出现……无所谓正，无所谓义，唯以强力贯彻者，斯为正义……秦始皇主义，德意志主义，与我国现时政治界中一部分之强有力（当指段内阁而言）主义，实先后同揆……秦始皇主义，在我国已经实验，虽获成功，不旋踵而殁……然中国统一之局，汉室四百年之治，亦未始非始皇开之。德意志主义，正在试验时代，成败尚不能预料。吾人就历史上推测强力主义之效果，则当文治疲敝是非淆乱之时，强力主义出。而纠纷自解……故我国之强有力主义，果能压倒一切主义主张，以暂定一时之局，则吾人亦未始不欢迎之。

《东方杂志》记者眼中之战国时代及欧洲现代之文明，皆百家竞起，异说争鸣，是非淆乱之文明也。颇希望强有力者，出其快刀断麻之手段，压倒一切主义主张，以定于一。此言也，《东方杂志》记者固笔之于书，谅非《新青年》记者推想之误。其是非可否，请读者加以论断，余则不欲多言矣。若余之所感者，乃《东方杂志》记者所崇拜，所梦想，所称为"痛快之举""望尘勿及""纠纷自解""吾人未始不欢迎之"之三种强力主义：其一秦始皇主义，固可以开汉室四百年统一之江山，颂其功德。其他二种强力主义，均已成败昭然，效果共睹。坐令是非淆乱之今日，无有能快刀断麻，压倒一切，以定时局，以解纠纷者。吾知《东方杂志》记者对于德帝威廉及段内阁，当挥无限同情之热泪也欤。

工艺杂志序文中所云："虽周、孔复生亦将无所措手。"固属述其当年之感想，而后文对于自给自足之工艺，则仍谓亟宜提倡，未见取消前说；谓为反面文字，亦未得当。

（8）所谓梦呓者，乃指《中西文明之评判》之著者日人而言。盖自欧战以来，科学、社会、政治，无一不有突飞之进步，乃谓为欧洲文明之权威，大生疑念。此非梦呓而何？正以此事乃稍有常识者之所周知，而况《东方杂志》记者之博学多闻，宁不识此？故未详加事理上之诘责耳。何谓反唇相讥耶？

（9）辜氏《春秋大义》主旨在尊王，并以非难欧洲人之伦理观念也。台里乌司氏亦谓欧洲文化，不合于伦理之用，而称许辜氏所主张之二千五百年以来之伦理为正当，是非崇拜君权而何耶？《东方杂志》记者译录其说而称许之，故敢以辜氏伦理上之主张为正当与否为问。此何谓罗织？

（10）辜氏谓中国人不洁之癖，为中国人重精神而不注意于物质之一佐证。夫注意物质则洁，注重精神则不洁，独重精神者可与不洁为缘，重物质者则否。是以中国人以重精神故，致有不洁之癖，致有种种臭恶之生活，岂非精神之为物，使我中国人不洁至此哉？余是以有精神为何等不洁之物之叹也。

此外，若前次质问中之（5）（6）（7）（13）（14）（15）等条，及（9）条中之第四项与第七项之前半段，并乞明白赐教。倘仍以"不暇一一作答"六字了之，不如一字不答也。

此中最要之点，务求赐答者，即：

一、自西洋混乱矛盾文明输入，破坏吾国固有文明中之君道臣节、名教纲常，遂至国是丧失，精神界破产，国家将致灭亡。

二、今日吾人迷途中之救济，非保守君道臣节、名教纲常之固有文明不可。

三、欲保守此固有文明,非废无君臣之共和制不可。倘废君臣大伦,便不能保守君道臣节、名教纲常,便不能救济国是丧失,精神界破产,国家灭亡。

此推论倘有误乎、否耶？

（第六卷第二号,一九一九年二月十五日）

新文化运动是什么？

陈独秀

"新文化运动"这个名词，现在我们社会里很流行。究竟新文化的内容是些什么，倘然不明白它的内容，会不会有因误解及缺点而发生流弊的危险，这都是我们赞成新文化运动的人应该注意的事呵！

要问"新文化运动"是什么，先要问"新文化"是什么；要问"新文化"是什么，先要问"文化"是什么。

文化是对军事、政治（是指实际政治而言，至于政治哲学仍应该归到文化）、产业而言，新文化是对旧文化而言。文化的内容，是包含着科学、宗教、道德、美术、文学、音乐这几样。新文化运动，是觉得旧的文化还有不足的地方，更加上新的科学、宗教、道德、文学、美术、音乐等运动。

科学有广狭二义：狭义的是指自然科学而言，广义的是指社会科学而言。社会科学是拿研究自然科学的方法，用在一切社会人事的学问上，像社会学、伦理学、历史学、法律学、经济学等。凡用自然科学方法来研究、说明的都算是科学，这乃是科学最大的效用。我们中国人向来不认识自然科学以外的学问，也有科学的威权；向来不认识自然科学以外的学问，也要受科学的洗礼；向来不认识西洋除自然科学外没有别种应该输入我们东洋的文化；向来不认识中国的学问有应受科学洗礼的必要。我们要改去从前的错误，不但应该提倡自然科学，并且研究、说明一切学问（国故也包含在内），都应该严守科学方法，才免得昏天黑地乌烟瘴气的妄想、胡说。现在新文化运动声中，有两种不祥的声音：一是科学无用了，我们应该注重哲学；一是西洋人现在也倾向东方文化了。各国政治家、资本家固然利用科学做了许多罪恶，但这不是科学本身的罪恶。科学无用，这句话不知从何说起？我们的物质生活上需要科学，自不待言，就是精神生活离开科学也很危险。哲学虽不是抄集各种科学结果所能成的东西，但是不用科学的方法下手研究、说明的哲学，不知道是什么一种怪物！杜威博士在北京现在演讲的"现代的三个哲学家"，一个是美国詹姆士，一个是法国柏格森，一个是英国罗素，都是代表现代思想的哲学家。前两个是把哲学建设在心理学上面，后一个是把哲学建设在数学上面，没有一个不采用科学方法的。用思想的时候，守科学方法才是思想，不守科学方法便是诗人的想象或愚人的妄想。想象、妄想和思想大不相同。哲学是关于思想的学问，离开科学谈哲学，所以现在有一班青年，把周、秦诸子、儒、佛、耶、回、康德、黑格尔横拉在一起说一阵昏话，便自命为哲学大家，这不是怪物是什么？西洋文化我们固然不能满意，但是东方文化我们更是领教了。它的效果人人都是知道的，我们但有一毫一忽羞恶心，也不至以此自夸。西洋人也许有几位别致的古董先生怀着好奇心要倾向它，也许有些圆通的人拿这话来应酬东方的土政客，以为他们只听得懂这些话，也许有些人故意这样说来迎合一般朽人的心理，但是主张新文化运动的青年，万万不可为此呓语所误。"科学无用了""西洋人倾向东方文化了"，这两个妄想倘然合在一处，是新文化运动一个很大的危机！

宗教在旧文化中占很大的一部分，在新文化中也自然不能没有它。人类的行为动作，完全是因为外部的刺激，内部发生反应。有时外部虽有刺激，内部究竟反应不反应，反应取什么方法，知识固然可以居间指导，真正反应进行的司令，最大的部分还是本能上的感情冲动。利导本能上的感情冲动，叫它浓厚、挚真、高尚，知识上的理性、德义，都不及美术、音乐、宗教的力量大。知识和本能倘不相并发达，不能算人间性完全发达。所以詹姆士不反对宗教，凡是在社会上有实际需要的实际主义者，都不应反对。因为社会上若还需要宗教，我们反对是无益的，只有提倡较好的宗教来供给这需要，来代替那较不好的宗教，才真是一件有益的事。罗素也不反对宗教，他预言将来需有一新宗教。我以为新宗教没有坚固的起信基础，除去旧宗教的传说的、附会的、非科学的迷信，就算是新宗教。有人嫌宗教是他力，请问扩充我们知识的学说，利导我们情感的美术、音乐，哪一样免了他力？又有人以为宗教只有相对价值，没有绝对的价值，请问世界上什么东西有绝对价值？现在主张新文化运动的人，既不注意美术、音乐，又要反对宗教，不知道要把人类生活弄成一种什么机械的状况，这是完全不曾了解我们生活活动的本源，这是一桩大错，我就是首先认错的一个人。

我们不满意于旧道德，是因为孝悌的范围太狭了。说什么爱有等差，施及亲始，未免太猾头了。就是达到他们人人亲其亲、长其长的理想世界，那时社会的纷争恐怕更加厉害。所以现代道德的理想，是要把家庭的孝悌扩充到全社会的友爱。现在有一班青年却误解了这个意思，他并没有将爱情扩充到社会上，他却打着新思想、新家庭的旗帜，抛弃了他的慈爱的、可怜的老母。这种人岂不是误解了新文化运动的意思？因为新文化运动是主张教人把爱情扩充，不主张教人把爱情缩小。

通俗易解是新文学的一种要素，不是全体要素。现在欢迎白话文的人，大半只因为它通俗易解；主张白话文的人，也有许多只注意通俗易解。文学、美术、音乐，都是人类最高心情的表现。白话文若是只以通俗易解为止境，不注意文学的价值，那便只能算是通俗文，不配说是新文学，这也是新文化运动中一件容易误解的事。

欧美各国学校里、社会里、家庭里，充满了美术和音乐的趣味自不待言，就是日本社会及个人的音乐、美术及各种运动、娱乐，也不像我们中国人的生活这样干燥无味。有人反对妇女进庙烧香、青年人逛新世界，我却不以为然；因为他们去烧香、去逛新世界，总比打麻雀（即麻将，下同）好。吴稚晖先生说："中国有三种大势力，一是孔夫子，一是关老爷，一是麻先生。"我以为麻先生的势力比孔、关两位还大，不但信仰它的人比信仰孔、关的人多，而且是真心信仰，不像信仰孔、关还多半是装饰门面。平时长、幼、尊、卑、男、女的界限很严，只有麻先生的力量可以叫他们鬼混作一团。他们如此信仰这位麻先生虽然是邪气，我也不反对；因为他们去打麻雀，还比吸鸦片烟好一点。鸦片烟、麻雀牌何以有这般力量叫我们堕落到现时的地步？这不是偶然的事，不是一个简单的容易解决的问题，不是空言劝止人不要吸烟、打牌可以有效的。那吸烟、打牌的人，也有他们的一面理由：因为我们中国人社会及家庭的音乐、美术及各种运动娱乐一样没有，若不去吸烟、打牌，资本家岂不要闲死，劳动者岂不要闷死？所以有人反对郑曼陀的时女画，我以为可以不必；有人反对新年里店家打十番锣鼓，我以为可以不必；

有人反对大舞台、天蟾舞台的皮簧戏曲，我以为也可以不必。表现人类最高心情的美术、音乐，到了郑曼陀的时女画、十番锣鼓、皮簧戏曲这步田地，我们固然应该为西洋人也要来倾向的东方文化一哭，但是倘若并这几样也没有，我们民族的文化里连美术、音乐的种子都绝了，岂不更加可悲！所以蔡孑民先生曾说道："新文化运动莫忘了美育。"前几天我的朋友张申甫给我的一封信里也说道："宗教本是发宣人类的不可说的最高的情感（罗素谓之'精神'Spirit）的，将来恐怕非有一种新宗教不可。但美术也是发宣人类最高的情感的（罗丹说：'美是人所有的最好的东西之表示，美术就是寻求这个美的。'就是这个意思）。而且宗教是偏于本能的，美术是偏于知识的，所以美术可以代宗教，而合于近代的心理。现在中国没有美术真不得了，这才真是最致命的伤。社会没有美术，所以社会是干枯的；种种东西都没有美术的趣味，所以种种东西都是干枯的，又何从引起人的最高情感？中国这个地方若缺知识，还可以向西方去借；但若缺美术，那便非由这个地方的人自己创造不可。"

关于各种新文化运动中的误解及缺点，上面已略略说过。另外，还有应该注意的三件事：

一、新文化运动要注重团体的活动。美公使说中国人没有组织力，我以为缺乏公共心才没有组织力。忌妒、独占的私欲心，人类都差不多，西洋人不比中国人特别好些；但是因为他们有维持团体的公共心牵制，所以才有点组织能力，不像中国人这样涣散。中国人最缺乏公共心，纯然是私欲心用事，所以遍政界、商界、工界、学界，没有十人以上不冲突、三五年不涣散的团体。最近学生运动里也发生了无数的内讧，和南北各派政争遥遥相映。新文化运动倘然不能发挥公共心，不能组织团体的活动，不能造成新集合力，终久是一场失败，或是效力极小。中国人所以缺乏公共心，全是因为家族主义太发达的缘故。有人说是个人主义妨碍了公共心，这却不对。半聋半瞎的八十衰翁，还要拼着老命做官发财，买田置地，简直是替儿孙做牛马，个人主义决不是这样。那卖国贪赃的民贼，也不尽为自己的享乐，有许多竟是省吃俭用的守财奴。所以我以为戕贼中国人公共心的不是个人主义，中国人的个人权利和社会公益，都做了家庭的牺牲品。"各人自扫门前雪，不管他人瓦上霜。"这两句话描写中国人家庭主义独盛、没有丝毫公共心，真算十足了。

二、新文化运动要注重创造的精神。创造就是进化，世界上不断的进化只是不断的创造，离开创造便没有进化了。我们不但对于旧文化不满足，对于新文化也要不满足才好；不但对于东方文化不满足，对于西洋文化也要不满足才好。不满足才有创造的余地。我们尽可前无古人，却不可后无来者；我们固然希望我们胜过我们的父亲，我们更希望我们不如我们的儿子。

三、新文化运动要影响到别的运动上面。新文化运动影响到军事上，最好能令战争止住，其次也要叫它做新文化运动的朋友不是敌人。新文化运动影响到产业上，应该令劳动者觉悟他们自己的地位，令资本家要把劳动者当做同类的"人"看待，不要当做机器、牛马、奴隶看待。新文化运动影响到政治上，是要创造新的政治理想，不要受现实政治的羁绊。譬如中国的现实政治，什么护法，什么统一，都是一班没有饭吃的无聊政客在那里造谣生事，和人民生活、政治理想都无关系，不过是各派的政客拥着各派的军人争权夺利，好像狗争骨头一般罢了。他们的争夺是狗的运动，新文化运动是人的运动。我们只应该拿人的运动来轰散那狗的运动，不应该抛弃我们人的运动去加入他们狗的运动!

(第七卷第五号,一九二〇年四月一日)

近代文明底下的一种怪现象

周佛海

"世界越文明,生活程度就越高;生活程度越高,生活难的呼声,也就越高"这个问题,在我的脑筋内已烦恼了好久了。生活程度越高,生活难的呼声也越高,这是自然的结果,没有什么可怪的。因为生活程度越高,维持生活的资料也就越要得多,而得生活资料的手段也就越不容易。假设十年前两三块钱一个人可以过一月的,现在要八九块了;十年前以一天劳动的所得 足以维持一天的生活而有余的,现在则以一天劳动的所得,就是糊口还不足。既然是这样的状态,又何怪生活难的呼声,一天高似一天呢?

但是为什么世界越文明,生活程度就越高呢?详说起来,就是为什么科学越发达,机器越发明,生产越容易,富力越充足,而生活反越难维持呢?据理论说,机器越精良,生产越容易,生活难的程度,就应该随着低下。而实际都不这样。物质文明越发达的地方,物价就越是昂贵,因之生活的费用也就越要得多。现在就以我们中国来比喻。在上海、汉口等西方文明稍发达的地方,一样东西,例如猪肉、米等的价钱要一元的,在内地,在原始时代的状态,没有和西方文明接触过的内地只要两三百钱一月最低生活的标准,在上海等所谓文明都会要五六元的,在内地只要三四千。拿这个状态，我们就可推想物质文明越发达，生活困难的程度就越高了。生产越容易，富力越充足，而一般人反困于生活难，这不是一种怪现象吗？

我现在把在物质文明底下，不应该有这种怪现象的理由，和产生这种怪现象的原因，据我一个人所想到的，稍说一说。

生活困难的原因，我想不外三种：（1）物资缺乏；（2）因之物价昂贵；（3）无业的人多。但是这三种原因，在现代物质文明底下，都应该免掉的呀！先就物资缺乏一项而论物资缺乏的原因，就因为生产力太小，不能和需要相调节。例如每日社会所需要的布是百匹，而社会的生产力，每日只能出八十匹，那么，布就要缺乏二十匹了。因为有了这个二十匹的缺乏，其余八十匹的价钱就要增加。价钱一增加，那么，每日只有一定的收入的人，就不免困难；就是收入很充足，可以以贵价而买布的人，因为有这二十匹的缺乏，也感着困难了。但是以现在这样的生产力，照理论上说，决不致生出这种现象呀！大规模的机器生产，生产力不能说不大；生产力一大，所生产的生产物就决不至于不充足。例如在手工业时代，以十个人十天的劳动，才能生产出五匹布；若以现在的生产力，则十个人十天的劳动；简直可以产出几百个，甚至于几千个五匹。那么，哪里还有不能供给需要的道理呢？所以照理论说，在现在这样生产力底下，应该绝没有物资缺乏的事，因此生活困难，也应该不至于因此而生。

次就物价昂贵一项而论。物价的高低，和社会的生产力，是有密切的关系的。前面已经说过，社会的生产力若小，所出的生产物也就少，常有和需要不能调节，致生出物资缺乏的现象，使物价也随着腾贵。但是物价的高低和生产力的关系，还不只这一点。现在要再进一步，研究一件物品的价值，在别一方面和生产力的关系。一个物品无论在货币形态没有成立，或已充分发达的时候，它和别的物品交换的比例，不是以它的使用价值（Use-Value）为标准，乃是以它的价值（Value）为标准的。例如一点小金刚石等于十二石米，它的比例，并不是以金刚石的使用价值和米的使用价值比较而定的。若说是以使用价值而定，那么，米的使用价值就比金刚石的使用价值大多了，为什么反十二石米才等于一点小金刚石呢？又假设二十石米等于六十块钱，一点金刚石也等于六十块钱，设若以使用价值为标准，那么，十二石米的价值，就不只等于六十块钱了。因为没有金刚石人还可以过活，没有米，人就要挨饿，所以米的使用价值，比金刚石的要大些。我们从此就可以知道一个物品和别的物品相交换的比例，是以它的价值而定的；就用货币来代表它，也是一样。但是要测定它的价值，又用什么做标准呢？马克思他说就是以劳动。一个物品的价值，是以生产它所要的社会的劳动的多少而定的。要得多些，这个物品的价值就要高些；要得少些，这个物品的价值就要低些。金刚石为什么比米要贵些？这就是因为生产金刚石所必要的劳动分量，比生产米所必要的大些。金刚石这种矿物，是非常稀少的，要从地下掘出来一点，不知要费多少日子的劳动，所以它的价值，就比米的要高些。但是劳动的分量，就是劳动时间，和劳动生产力也有密切的关系。劳动生产力大，劳动时间，就要少；劳动生产力小，劳动时间就要多。它两者照这样的关系，就影响到第三者价值的身上来了。价值既然是以劳动的分量而定的，那么，劳动生产力大，劳动时间要得少的结果，就是物品的价值要低；劳动生产力小，劳动时间要得多的结果，就是物品的价值要高。总而言之，"一物品的价值大小，是以体现于这个物品的劳动量为正比例,以生产力为反比例而变化的"(Karl Marx: Capital. Volume I. P. 47)。再说一句,就是:生产力越大,物品的价值就要随着越低。现代社会的生产力,是不是比以前的要大得多？我想无论什么人,总不敢说一个"不"字的。那么,生产物品所要的社会的劳动,一定就要少些。在手工业时代的时候,一百个人生产一千匹布所要的总劳动为二十天的,现在在大工厂里面用机器来生产所必要的,只需两天了。劳动的分量既然少了,那么,它所生产的物品的价值,也就应该随着低了,绝没有比以前还要贵些的道理。所以照理论说,断没有在生产力大的社会里面,物价昂贵一事,反一天比一天贵起来的道理。因此生活困难,也不应因此而生。

再就无业的人多一问题而论。一个社会里面,生产的人若比坐食的人少,那么,社会一般,就一定要感着生活困难。因为生产的人少,所产出的物资也就少,不能满足一般的需要,物价也就因之越贵。这是所谓生之者寡,食之者众的自然结果。所以社会上无业的人太多,也是生活困难的一种主要原因。然而设若全社会里面,各人都是生产者,至少只要生产者的人口,占全人口的十分之七八,那么,生活困难,就不能因这个(题)而生了。现在各工业发达的国,大规模的工厂,差不多到处都是。这些工厂,大的可以收容几万劳动者,至小的也可收容几百。既然这样大的容留场到处皆是,那就可以把一般无业者都吸收进去,变为生产者了。那么,无业的问题,也就可以不发生了。有人说因为大规模的工业一发达,小企家就要失掉他的独立营业的地位；因为机器工业一发达,手工业者就要因此夺去他的独立劳动的地位,所以现在生活困难,还是无职业的人过多为一种重要原因。我都以为不然。小企家固然因为大规模的工业，失掉了独立营业的地位；手工业者固然因为机器工业，夺去了独立劳动的地位。但是说前者是失掉了独立营业的地位，而堕入劳动者的地位则可，若说他硬成了无业的人则不可；说后者是失掉了独立劳动者的地位而陷入工钱劳动者的地位则可，说他也是完全失了职业则不可。机器工业，也是要人的劳动的。没有人的运用，机器它自己不会动的。尔看大工厂的里面，哪里不是容着几百、几千，以至于几万的劳动者。所以说大规模的机器工业，使人从独立的职业陷入奴隶的职业，从自由的职业陷入束缚的职业则可，若说使他们陷入于无职业的境遇则不可。机器工业，还是要人的劳动的，并且一个工厂可以吸收入大群的无业者而为生产者；那么，工业越发达的地方，工厂就要越多；工厂一越多，所吸收无业的人数也要越多；无业的人被吸收到工厂去的越多，社会上无业的人也就要越少。所以照理论上说，工业越发达，失业的人就应该越少，而生活困难也不应因此而生。

从上面所述的三个重大理由，我们就可推想在现在这样物质文明的社会里面，本不应该有生活困难的问题发生。就是在物资可以充分满足需要，物价不至这到底于太贵，社会上没有无职业的人，至少也没有好多的社会里面，本不应该有生活困难的问题发生。设若发生了，断不是常现象（Normal phenomena），断不是必然的结果（Necessary effect），反不可不说它是怪现象（Abnormal phenomena），是例外的结果（Exceptional effect）。

其实不然，这种怪现象无论在近代文明国的哪一国，都是普遍有的了。下层阶级生活困难的呼声，只有一天比一天甚的。在日本报上看见几次因为生活困难先杀全家然后自杀的记事。日本近几十年来，近代工业也可谓发达了。自从欧战以来它的富力，直增加了几倍,然而生活困难反至于逼人自杀,这到底是什么原因?这难道是机器生产它自身不好吗?那我们就要怪那些科学家不应该发明机器了;那我们就要废止近代大规模的工业,复反于中世纪的手工业了。因为机器没有发明之前,手工业的时代,生活困难,绝没有像现在这样狠的。自从机械发明以来大规模的工业发达以来,生活困难,才有飞也似的向上长的趋向。所以我们看着生活困难这种现象,就要咒骂近代文明,就要打破近代文明,再狭一点说就要打破机器工业,使它不至于酿成生活困难的恶毒,以贻害社会了。

不然不然,机器生产它本身,一点都没有坏处,大规模工业它本身也一点没有错处。就它们的本身说,只有使社会一般生活安全,向上的,断没有反使生活不安全,困难的。在内里作怪,使生出这种怪现象的,乃是资本制度这个怪物,生活困难,一天一天狠起来的,乃是资本制度的必然的结果,在近代物质文明的底下,本不至于有物资缺乏,物价昂贵,失业者多的种种现象,已如上述了。但是有了资本制度,反使物资不应缺乏的而缺乏起来了;物价不应昂贵的而昂贵起来了;失业者不应有的而有起来了。这三个条件都以资本制度的厚赐完完全全地具备起来,生活还有个不困难的吗?所以我把现代生活困难的责任归到资本制度,并没有冤枉它老人家呀!

用着这样大的生产力,用着规模这样大的生产手段,日夜不绝地在那里生产,反使物资缺乏,我想读者一定要骂我胡说的。不然我只要把资本主义的缺点举出一个,就不独可以证明它能使物资缺乏,并可以使物价昂贵,失业者增多。这是什么?就是经济学上所谓的"恐慌"。有了"恐慌"这位老先生,什么物资缺乏,物价昂贵,失业者增多,就要一起出现了。这几位老先生一出现,生活断没有不一天一天地困难起来的。读者不信,请看下文。

资本家的生产,并不是为消费而行的,乃是为交换而行的;换一句话说,就是为赚钱而行的。所以他们生产的时候,不问社会直接需要的是什么,只问什么货物在市场上价值最好。于是估量什么货物的价值最好,就来专门生产这种货物,想去多赚几个钱。这就叫做投机(Speculation)。但是资本家谁不知道投机?你看这个物价好,来生产这种物;我看见这个物价好,也来生产这个物;他也同样的来生产这个物。那么,举社会上一切生产机关都来生产一样的东西,别的需要的东西就不管了。大家都来生产一样的东西,当然所生产的,要超过所需要的。于是就生出生产过剩的现象。资本家的资本都拿出来生产了。而所生产的东西又卖不动,于是活的资本,变成没有人要的死的货物了。这就叫恐慌。恐慌固然是生产过剩的结果,在别一方面又由它生出物资缺乏的现象。因为大家都来生产一样的东西,别的就没有人来生产,或只有少数人来生产了。所以别的东西的生产,就要不能满足需要,而生物资缺乏的现象。这些东西既然缺乏,它们的价钱一定就要昂贵。所以物资缺乏,物价昂贵,都当做恐慌的结果生出了。在别一方面,又由生产过剩,生出失业的人。因为资本家都把资本拿来生产货物,而这些货物因为过多又没有地方去卖,资本家的资本,就变成货物,不能拿来运用了。他的结果就是倒闭工厂。工厂一倒闭,在工厂内做工的劳动者就也随着失了业了。他们以一天的劳动,只能勉强过活一天,断有剩余可蓄积的。以一个钱的蓄积都没有的劳动者,一旦失了业已是不得了的事又加以恐慌的结果,物价更为昂贵,他们除掉饿死,还有什么法子?这又何怪乎生活难的呼声,一天一天地悲惨起来？所以只就恐慌一项而言，已可以证明现代文明底下的这种怪现象，乃是资本制度产生出来的了。再进而就资本家和劳动者的关系，以证明这种怪现象是资本制度产生的。

近人大概以为资本家和劳动者的关系，是主和奴的关系。这却不然。设若是主和奴的关系劳动者的生活固然不能保他高尚，断不至到了不安、困难的状态。农奴时代，为什么没有看见农奴的生活不安定，难于谋生活？因为当时农奴的生活，主人替他们负责任了。农奴是主人的所有物，所以农奴的生活资料归主人供给。农奴虽然没有独立的人格，和牛马一样隶属于主人，但是他们的生活，都可以安安全全地过，断没有像现在劳动者一样，今天把饭吃了，不知明天的饭在什么地方的。因为主人不得不供给农奴以生活资料，就和他们不得不给草料与牛马是一样的。然而劳动者却不然。他们和资本家的关系，并不是奴和主的关系。他们的身体，并不是隶属于资本家的，他们的独立的人格在法律上已被承认了的。他们在法律上的地位，是和资本家平等的。所以他们的生活，资本家就不能替他们负责任，他们各自以独立人格，自由选择，和资本家结卖劳力的契约。但是因为这个原因，他们法律上的地位虽然比奴隶的高，他们经济上的地位反堕入比农奴的还要苦的了。在资本制度底下，劳动者名义上是自由的，可以自由选择职业，可以自由和雇主结劳动契约，自己不愿意卖劳力给哪个资本家，就可即刻和他断绝关系，决不是像农奴一样，终身隶属于主人的。但是因为有了这个自由，他们就要堕入生活难的状态。他们和雇主的关系，是契约的关系，是暂时的，不是永久的。所以顾主只要劳动者把契约上规定的劳动拿出来，他把契约上规定的工钱给了他们之后，他们两者的关系遂断绝，各不管别人的死活了。劳动者此后怎样谋生活，他们资本家不管，所以劳动者堕入生活不安的境遇，今天做着工，明天挨饿也未可知。劳动者所得的工钱，能否维持生活，资本家他们不管，所以劳动者就陷入生活困难的境遇，每日所得，不足为每日的生活资料。劳动者既因为生活不安，就天天怕着失业，怕着失业，就是怕着失了现在的雇主。于是雇主提出的工作条件，无论怎样虐酷，他们都不得不依。设若不依，即刻就要挨饿。设若跑去和别的雇主结约，则"到处老鸦一般黑"，哪一个雇主不是这一样？并且雇主的条件苛刻，劳动者简直不能发怨言的。你若说一声不愿，雇主他就有话说了。你想他要怎样说？他一定道："你们劳动者是自由的，愿不愿和我结约是你们的自由，我不能强迫你们。设若以为条件苛刻，你们可以不必和我结约，不必替我做工了。"咳！这种自由，真是饿死的自由。所以每逢劳动者和资本家自由结劳动契约的时候，只有劳动者吃亏的。他们契约规定的工钱，一定是很苛刻的。所以劳动者眼看生产力增加，资本家赚钱，而自己还天天只得契约上规定的工钱。生活程度一天一天地高，他们的收入不一天一天地加，就说也可增加，而工钱增加的比例，不能和生活程度加高的比例保一致，劳动者的生活还有不困难的吗？劳动者的人口要占全人口的大多数，所以劳动者的生活难，直可看做社会一般的生活难。所以就从资本家和劳动者的关系来论，也可证明近代文明底下的这种怪现象，乃是资本制度产生出来的。

我先不是说过，物件的价值，是以劳动量为正比例，以生产力为反比例而变化的吗？为什么在生产力这样大的社会里面，物价不见低落，反有腾贵的趋势呢？这内里也是资本制度在作怪！一个物件直接和别的物件交换的时候，它的比例就是以它们的价值为标准的。但是中间一有了"市场"这种东西，各种物品遂变为商品，都以货币为等价（Equivalent value）了。货币当做价值尺度的职能，就是使一切种种的商品的"价值"（Value），变为种种的"价值"（Price）（Karl marx：Capital. Volume I. P. 110）。所以商品一到了"市场"上，它们的交换的比例，就是以"价格"为标准而不以"价值"为标准了。例如拿一匹布到市场上去换米，它们的交换的比例，是以一匹布的价格怎样和一石米的价格怎样为标准的。换一句话说就是以一匹布要多少钱和一石米要多少钱为标准，而不以一匹布内里所含的劳动量和一石米内里所含的劳动量为标准的。因为这个原因，资本家就好在里面操纵价格。本来劳动量要得多，价值大些的商品，他们可以把它的价格弄低些。本来劳动量要得少，价值小些的商品，他们可以把它的价格弄高些。一切商品的价格，都由资本家任意高低，所以理论上的原则，就失了效力了。然而以充满黄金欲的资本家，除了万不得已的时候以外，没有愿意商品的价格减低的，所以它的价格，反有一天一天增高的倾向。物价一昂贵，生活就要受它的影响了。总而言之，因为资本制度的生产，是以交换为目的，所以遂有所谓市场的发现；有了市场，则商品的价格，可以由资本家任意高低；资本家只愿意商品的价格昂贵的，所以物价一天一天地贵。物价一贵，一般的生活，就要困难起来了。所以从这一方面，也可以证明近代文明底（下）的这种怪现象，乃是资本制度产生出来的。

　　近代文明并没有坏处，是资本制度使它坏的。近代文明，不是没有特殊的精神，是资本制度使它不得充分发挥的。你们不要咒近代文明，近代文明没有使人生活困难。你们要咒资本制度，资本制度使人生活困难的。所以要铲除近代文明底下的这种怪现象，就要先铲除生出这种怪现象的资本制度!

一九二一年二月十日

(第九卷第一号,一九二一年五月一日)

东方文化与世界革命

屈维它

东西文化的差异,其实不过是时间上的。人类社会的发展,因为天然条件所限,生产力发达的速度不同,所以应当经过的各种经济阶段的过程虽然一致,而互相比较起来各国各民族的文化于同一时代乃呈先后错落的现象。若详细分拆起来,其中因果关系非常复杂,而一切所谓"特性""特点",都有经济上的原因,东方和西方之间,亦没有不可思议的屏障。正因人类社会之发展有共同的公律,所以东方文化与西方文化有相异之处。这却是由于彼此共有同样的主要原因,其仅因此等原因之发展程度不同,故有差异的结果,并非因各有各的发展动力,以至于结果不同。此处的异点正足以表示其同点,是时间上的迟速,而非性质上的差别。

西方文化,现已经资本主义至帝国主义,而东方文化还停滞于宗法社会及封建制度之间,假使设此两种文化各自独立,不相关涉,便可以如此说,以得一确定的概念,然后更进一步:先明了此两种经济制度之不同,两种制度的特性,然后看他们俩各自发展中的动象,以至于因发展而相接触,因相接触而起混合的演化,便能得现代世界政治经济的形势、世界革命的渊源及其趋向。这是研究的方法,至于详尽的说明,不是一篇杂志论文所能了事,况且此处各篇幅所限,只能略略指明,以后再逐期详细讨论。

中国人,甚至于学者,所心爱的东方文化究竟是什么?

第一种元素是宗法社会之"自然经济"。

"中国之'家庭手工业',在城市之中,尚且还有不少保存着呢,并且是在很老很大的商业城市之中。譬如宁波,有三十万人的居民,前一辈的妇女还是亲手制作衣履,以供夫妇子女之用。当时青年妇女,自己本亦能做女工,若竟向商铺购买此等事物,必定引起大家的注意,以为怪事。"(见 Dr. Nyok-Ching-Tsur, N; *Die gewerblichen. Bc triebs for men der Stadt Ningpo*! Tubingen. 1909, P. 51)这是十五六年前的话。如今呢,比较僻静的外省外县,还不是如此?更不用谈到乡村了。农家手工业本是中国宗法社会的经济基础之一。至于农业上之土地制度、义庄制度、族有制度等之宗法社会的色彩,尤其明显。记得二十年前的老太太们,若听见姑娘们要到店里买鞋,必定骂她们"无耻",若看见洋手巾、铅笔,都说是有"洋骚气"。此种厌恶西方文化的态度,崇拜东方文化的旧梦,何等高傲,何等自大! 其实中国木匠的鲁班祖师、秀才的至圣先师,不过是中世纪"行会""教会"式的文化。假使社会学家、经济学家看见中国理发师手臂上刻的花纹,中国字画上"世伯""世兄""年兄""姻侍生"等的题款,必定很高兴,以为社会史上经济史上添了不少陈列馆中的材料。所谓伦常纲纪、阴阳五行同样是宗法社会或行会制度的表征而已,并无特异的文化,更无神圣不可侵犯之处。

第二种元素,是畸形的封建制度之政治形式。

东方其他各国的宗法社会现象,虽然各有特殊形式,与中国不相类,然而性质是一样的,也许色彩的浓淡相异而已,可是此地封建制度的遗迹,却很显露,比中国明显得多,田地制度、劳役制度处处都可以表现此等国家中经济上的封建遗迹。至于中国呢,难道完全脱离了封建制度？中国当初因民族斗争的结果,经济文化屡屡受外族的破毁,并为地理状态所限,经济上的发展至近代尚停滞于宗法社会之"半自然经济",这是屡进而又屡退的过程（此层意思将来再当详论,此处仅限于总观念）,所以政治上虽屡见统一的君主专制政体,其实并非真正的集权政府。不过以宗法社会为基础,承封建制度几经屡起屡仆,"诸侯"的力量薄弱,经济上的凭借极不稳固,资本制度又为技术所限无从发生。那时所谓"资产阶级"仅得极小的一部分商业上的分配权,所以君主得勉强建成立于一盘散沙之上的"中央政府",政府之下隶属无数的小经济单位,就是家族,百"姓"。因此,百"姓"之中的"大姓""世家",往往可以形成似贵族非贵族的阶级,而官僚、疆吏、地方官亦能形成似诸侯非诸侯的统治者。封建制度于政治上实未曾死灭,况且"改丁归漕"之法律上的实行不过是一个半世纪以前的事,而"捉差""办差"等制,直到清朝末年还是存在。经济上又何尝可以说封建制度完全消灭于秦灭诸侯之后呢？新式社会,若无建设它的相当动力,是不能代旧式社会而兴的。中国独立的文化之中,经四五十世纪的历史,而竟不能求得丝毫类似于资产阶级的民主主义,也就无足怪了。辛亥革命,为资产阶级透了一口气,可还不是资产阶级的革命,资产阶级的革命不但没有完成,并且着手预备得也还很少。因此,封建制度的余势大盛。中国资产阶级的稚弱,统一君主的败落,各"地方"区域内的经济发展,及外国帝国主义的利用,有此四端可乘,于是军阀割据制度成,而所谓"统一的"中国遂崩坏分裂。中国社会乃逆世界潮流,由"民主革命"反退向封建制度,现代中国的军阀制度所异于欧洲中世纪的封建制度者不过两端：一、后者为自其原有的经济基础生长而成，前者乃攫得此种经济基础于外；二、后者根据于采地制度农业经济，而前者根据于雇佣军队投机商的财阀。同样都是资产阶级经济发展的障碍。然军阀制度，由先得政治地位进而行经济侵略，剥削商民，压迫劳动者，不但简直和封建诸侯相似，而且比封建诸侯更可怕，依西欧历史的类似阶段而论，中国其实还没有封建制度，比封建制度还早一期，正在由部落的酋长时期，进于封建制度的过程中呢（此处当然是比拟而说，不可拘泥）。例如四川、云贵、湖南、山西、甘肃，东三省等，几乎全是一军征服之后渐渐依据地势强行逼迫商民，凭借当地的经济势力，实行农奴制度式的劳役征调以剥削劳工民众，于是造成他自己的"政治势力范围"。四川省内现时各军队之"保商""护商"制度，商人怕"匪"当初请他们"保镖"，现在落得反客为主，每次护商队"临幸"，商人反须贡献一大笔费用，往往超过所有货价百分之五十，颇与俄罗斯开国史上商人请镖师，镖师变成"外国来的老爷"相像。福州"拉夫"办法几乎完全恢复清朝乾隆皇帝下江南的"捉差"制。京汉铁路、汉阳工厂自从今年罢工失败后，实行军队强迫工作。其他残杀奸淫，拘禁拷掠，和封建时代的诸侯对待农奴的手段相比，有过之无不及，劳工平民一概是为军阀经营生产交通的牛马。凡此都不过是最显著的实例，其他相类的事情，举不胜举。此等现象，由所谓"自由"贸易（经济学上谓之"简单的商品生产制"）变成小诸侯辖制的商业，由所谓"自由"劳动变成公开的武力强逼的力役，岂非中国社会逆流退向封建制度的铁证！中国"东方文化派"的学者所要保存的，是否此等肮脏东西，人间地狱？

第三种元素是殖民地式的国际地位。

东方诸国，其在政治上、经济上的发展既落后，及渐与先进（文明）国家相接触，迎受西方文化——资本主义，遂不得不成为此等国家的殖民地。而西方（文明）国输入资本主义的形式，就是帝国主义。资本主义在西欧初发展时正是封建制度的劲敌，然侵略国外弱小民族之际，却往往辅助此等民族内部的封建制度，其实是维持自己的统治权。凡是所谓强国，因其经济上资本主义的要求，可以进而为种种政治上、军事上的侵略阴谋，务使殖民地的经济生活适宜他的剥削政策，所以维持殖民地内能代行其统治权的各派各阶级的势力，直至完全克服臣属此等弱小民族为止。中国的地位尤其可危，因有所谓"国际均势"，而成国际的殖民地。各强国得以联络各经济区域内的事实上的政府（军阀），以至于新生的大资产阶级，间接实行其统治权。其结果，军阀为互相争夺势力范围而时起战祸，列强亦因互争势力范围而阴谋倾轧贿赂威吓，令中国顾东失西，日陷于绝对臣服的地位。各国各势力范围内的经济发展程度若有异，则其对待中国军阀或中国资产阶级的态度亦就不同。中国的军阀既须有经济上的凭借，每每能令其地方政府渐成资产阶级经济的发展之中心点，所以外国资本之占有此经济区域者，必从而役使之、利用之。同时，若是军阀凭借经济势力的形式太鲁莽，足以障碍资产阶级经济的发展，那时外国资本之较强者，能力贯于几省以上，就想除此障碍，而与国内的大资产阶级携手。然帝国主义的性质唯在于：一、投货；二、搜刮原料；三、投资；四、开发原料。凡此都是救世界的资本主义于危亡所必需的程序，此中仅因其经济侵略力发展的阶级不同，而异其掠夺的方式，异其所维持之阶级。而总观起来，他决不能容中国资产阶级充分的发展，因为中国若是经济上真能独立发展，则帝国主义必受挤而颠覆。所以不论他是辅助军阀，或是辅助资产阶级，他必有一相当的限度，辅助至此而止,力求合于他自己的目的。所谓资产阶级经济的发展,是外国人在中国经营的经济。所谓助国内资产阶级排除障碍,不但此等障碍专是外国经济在此发展的障碍,而且所助的"国内的"资产阶级,亦正是依赖外国资本为生的资产阶级。譬如最近汉口的外国商人,趁京汉工潮的失败,役使湖北地方政府专门封闭工会之与外国企业有关系者,是证军阀的制度始终大有利于外国资本。再则如上海镇守使确实是外国资本家的刽子手,外国资本家的报纸可以一面鼓吹中国资产阶级之所谓"裁兵理财制宪"运动,一面协同军阀竭力压迫一切平民之集会结社自由,甚至于市民(资产阶级)欢迎孙中山的大会都在禁止之列,更不论工会!可见外国资本甚至于与军阀同样采取极公开的野蛮政策。所以不论如何,帝国主义客观上自成为使中国社会退向封建制度的重要原因,同时又以强力纳入资本主义。一九二二年,上海金银业工人罢工,外国老爷竟放出猎狗来噬啮工人,此等现象只有《东方杂志》殖民地上可以发现,自古以来无论天灾战祸弄的人烟断绝,禽兽横行,也只有乌鸦啄白骨,野狗龈死人的惨状,决比不上故意纵犬吞噬、将活人当狐兔一般看待的新奇,真可算是东方文化的特色!

宗法社会的文化早已处于崩坏状态之中,而所谓"东方文化派"的学者还在竭力拥护。或者说,谈文化何必论到此等琐琐屑屑的"细事"。然而要知道,所谓"文化"(Culture)是人类之一切"所作":一、生产力之状态;二、根据于此状态而成就的经济关系;三、就此经济关系而形成的社会政治组织;四、依此经济及社会政治组织而定的社会心理,反映此种社会心理的各种思想系统。凡此都是人类在一定的时间、一定的空间中之"所作",这种程序是客观上当有的。"作者"是人而非虚灵,不能离时间、空间而独立。所以研究他的"所作"也自然有此程序。若是研究文化,只知道高尚玄妙的思想,无异乎"览蜻蜓"之首足倒置的姿势,必定弄得头晕眼暗。"伦常纲纪,孝悌礼教"的思想明明是宗法社会的反映,不必多论;"和平好让"更是因宗法社会中经济发展薄弱,虽争亦必能多得,祖孙父子兄弟伯叔在同一经济单位之中,求分配的相安,除此更无别法。中国的"天下四海观",尤其是古旧的封建制度,崩坏,而经济发展刚到"简单的商品生产制",不能前进,加上宗法社会的经济组织,所以大家只觉得要"安居乐业",各人管各人的家事,各人做各人的生意,用不着集权的国家,如何能有国家观念?只当着其他各国、其他各民族也和中国一样呢。若更说玄妙些,讲到东方人的习静养心、绝欲诚意的功夫,尤其可笑。请问:在如此恬静的农村生活里,威严的君主政治下,求不到什么"物",所以只好养"心",不会满愁,所以只好绝欲,是不是东方文化的优点?要知道罗马时代也有"天下观",中世纪教会中也有绝欲主义,又是什么,奇珍异宝!诚然不错,我们决不否认精神上的力量能回复其影响于物质的基础,社会思想往往较其经济发展落后一步,所谓历史的"惰性律";然而最根本的动力,始终是物质的生产关系。譬如中国经济发展,较之十年前已经大不相同,然而北京总商会仍旧只有送万民伞的本领,福州市民甚至于打着白旗向领事馆投降,这真是宗法社会封建制度之奴隶性的心理,崇拜君父的滥调。若是此等幼稚的资产阶级能运用现时所有的一些实力,也决不至于如此。虽然,假设中国资产阶级真有极大的工厂,几万万的银行资本,他还肯如此俯就么?那时,恐怕此等敬长上不争夺的"美德"早已烟消云灭了。而此种物质力的自然发展,决不能以一纸唯心论而打消,决不能以仁爱的空名来限制,其实已经容不得你"预"防,中国的资产阶级还没长成,外国已经现成。帝国主义无孔不钻地渗入中国的政治经济生活之中。你爱和平,他却不爱;你讲诚意,他却不讲;你自己老实,他却不老实呢。

中国的文化、宗法社会,已经为帝国主义所攻破;封建制度,已经成帝国主义的武器,殖民地的命运已经注定,现在早已成帝国主义的鱼肉。我们也决不歌颂西方文化,因为文化本无东西之别。文化只是征服天行,若是充分地征服自然界,就是充分地增加人类驾驭自然界的能力。此种文化愈高,则社会力愈大,方能自强,方能独立,方能真正得自由发展。帝国主义处处阻滞此种可能。于殖民地上往往最初一期外国人似乎是文化的宣传者,然而只要看一看下列几项"琐事",就可以知此种的"宣传"的限度了。美国人在中国所设学校都授美国宪法,还不是些自由平等法律之类的原则!然而美国人克门私运现银出境,犯了法被发觉,反与关卡兵士冲突受误伤致死,美国政府却不惜以改变对华政策为要挟,庇护这一犯法的人。基督教青年会自诩为文化机关,教会了中国学生踢球、打球,等到和美国兵赛球时,赢了他的球就应该吃他巴掌(北京)。此等税关法例、球场规则,原来是中国人学来的,也可以说是极粗浅的社会共同生活的公约,而中国人却无福气实行。至于科学艺术也受限制。住在租界上的人,连看一本马克思主义的经济学都要提到巡捕房里去。请问"真正民主共和国"的民主主义在哪里?帝国主义不但为经济上、政治上的侵略,并且扰害殖民地的法治,竭力阻止殖民地人研究真正的科学,唯恐弱小民族因真得科学文明而强盛。

宗法社会及封建制度的思想不破,则于帝国主义的侵略无法抗拒。所以不去尽帝国主义的一切势力,东方民族之文化的发展永无伸张之日。科学文明是资产阶级的产儿,然而亦就是破毁资产阶级的起点。宗法社会的仁义道德说亦正是宗法社会破产的先声。至仁义道德说之真正的平民化及科学文明之真正的社会化时,就是一切旧社会的末日。此种文化过程,在先进"文明国"每每分为两段。因世界经济的发展其时尚有相当的余地,所以强国得以从容不迫先经所谓"民主主义",而后重返于绝端反对民主主义的帝国主义,先经科学的文明而后重返于反对科学的市侩主义,非至于旧社会中的新力量勃生,彻底翻腾、演为无产阶级革命之时,此种"循环论证"不能终止。至殖民地上,此种过程,却有不得不双方并进之势:就是民族的解放运动、普通的民主运动,因厄于帝国主义之故,自然当与世界的无产阶级革命相融合而为一;于思想上即是道德之平民化与科学之社会化两阶段同时并呈,道德与科学本非相消的。只有真正的道德、真正的科学是颠覆东方文化之恶性的利器。此种恶性,宗法社会、封建制度及帝国主义颠覆之后,方能真正保障东方民族之文化的发展。

所谓东方文化的"恶性"绝非绝对的,宗法社会的伦理也曾一度为社会中维持生产秩序之用。但是他现在已不能适应经济的发达,所以是东方民族之社会进步的障碍。西方之资产阶级文化,何尝不是当时社会的大动力。但是他既成资产阶级的独裁制,为人类文化进步之巨魔,所以也成了苟延残喘的废物。直至帝国主义沟通了全世界的经济脉络,把这所谓东方西方两文化熔铸为一,然亦就此而发生全人类的文化。世界无产阶级得联合殖民地之受压迫的各民族,以同进于世界革命,此种趋势,此种新革命文化的先驱,正就是杀帝国主义的刽子手。宗法社会的思想代表还正在竭力拥护旧伦理,世界资产阶级也反过来否认新科学。这也难怪,原来他们俩,一在殖民地上,一在强国之中,都已魂游墟墓,看不见前途,所以不得不向后转。世界的资产阶级,既以科学的发明,作为少数人享福之用。他眼看着用了这许多精力,杀人放火的机械制造得如此之精明,始终还是镇不住"乱",保不住自己的统治地位,所以他的结论是"科学无能"。刚刚迎合了宗法社会的心理,于是所谓"东方文化派"大得其意。其实哪里是什么"科学破产",不过是宗法社会及资产阶级文明的破产罢了。世界的无产阶级正应当用敌人所怕的武器,殖民地上的劳动平民也应如此。世界的资产阶级及殖民地上的贵族阶级已经没有能力,为他们所依附的经济制度(私产制及自给经济)所限,不能再进。自己不能克"物",所以不得不教人"克己"。难道受压迫者便真听了他们"克己",讲唯心主义么?因此可见,颠覆一切旧社会的武器正是科学。科学只是征服大行的方法。在少数人垄断此种方法之结果的社会里,方法愈妙,富人愈富,于是社会中阶级斗争愈剧烈,国际间战祸愈可惨。因此以为是科学方法本身的罪恶,假设为大多数人利益而应用科学,则虽有斗争亦自能保证将来发达进步之可能。只因此等进步已非资产阶级文化的进步,而是无产阶级文化的进步,所以资产阶级要否认。等到私产绝对废除,阶级消灭时,科学愈发明,则体力劳苦的工作愈可灭少,全社会的福利愈可增进;物质文明愈发达,经济生活愈集中,则精神文明愈舒畅;文化生活愈自由,为"求生"的时间愈少,则为"求乐"的时间亦愈多了。那时,才有真正的道德可言,不但各民族的文化自由发展,而且各个人的个性亦可以自由发展呢。要达到此种伟大的目的,非世界革命不可,这是"无产阶级的社会科学"的结论,有客观事实可按的。只有世界革命,东方民族方能免殖民地之祸,方能正当的为大多数劳动平民应用科学,以破宗法社会封建制度的遗迹，方能得真正文化的发展。况且世界无产阶级的革命，若是东方民族不能以自力先行从事于一切革命运动，断绝一切帝国主义的"辎重队"，使无发展余地，亦必暂限于停滞状态。所以必须以正确的社会科学的方法，自然科学的方法，为劳动平民的利益，而应用之于实际运动。当令西方的无产阶级与东方的弱小民族一致地起来反抗帝国主义，乘现代各地生产力发展之矛盾性，凭客观的政治经济实力以斗争，即此锻炼其主观的阶级意识，逐步前进，颠覆宗法社会、封建制度、世界的资本主义，以完成世界革命的伟业。如此，方是行向新文化的道路。这一方针固然非常之明确，然而实际运动之时，尤须时时不忘科学的方法，缜密的考察，因时因地而相机进行。无产阶级革命与东方民族革命相应的方法，以及东方民族内部运动之阶段，都必须是极慎重的研究。现在且就此初步的尝试，共产国际第四次世界大会所通过的东方问题之显要看一看，便可先得一总纲领。

（季刊第一期，一九二三年六月十五日）

共产主义之文化运动

〔德国〕 项莱　　〔俄国〕 克鲁朴斯嘉

社会改造的伟业不能没有精神上的文化能力来担负,况且共产主义本身就是文化运动,是最先进最普遍的文化运动。文化运动必定要能增进劳动群众之政治智识及政治觉悟,使农工平民了解其所处之社会地位,自觉其政治能力,方才能行向社会改造,尽复与人类文化之天责。唯其如此,文化运动方能实际增加社会运动之内力,社会运动亦必有此,方能成其为文化的社会运动,共产主义派的社会运动及文化运动所以永不能相离,亦永不能不注意于"政治教育",宣传方法的研究。学理深入的讨论,其重要不在实际运动之下。共产国际第四次世界大会(一九二二年十一月),曾讨论及此一问题。兹取当时之教育回顾委员德国代表项莱(Hcrnley)及俄国代表克鲁朴斯嘉(Krupskaga,列宁夫人)之演说,译述如下,以见共产主义之文化运动的意义。

奚浈女士志　一九二三年二月二十二日

(一)项莱之演说

同志们,此次之教育问题委员会一致主张以为大会中所当讨论的教育问题,不是共产主义的教育政策全部之计划,而仅限于共产党内所执行的教育问题——共产党中职员与党员之政治教育问题，及共产党中职员与党员施行政治教育于党外群众之问题。

共产党之政策比之于资产阶级和改良派之政策，非但宗旨不同，并且事实上亦有异点，因为共产党之政策是根据于科学的，而且由于细心分析历史情境及明白知道资本制度内的社会势力而定的，这种政策之方法，就是马克思主义的研究方法和历史的唯物主义。从这样看来，一切共产党之政策，必以严格的马克思主义为根据，方能做革命的无产阶级之领袖，以及一切受压制的民众之引导者。因为这层缘故，共产党应当给他党员和职员以一种精细的学理上的训练，这是很要紧的。

共产党中需要政治教育，还有一层缘故在里边，就因为一切共产党均在幼稚时代，非但机关成立未久，而且党员之多数在政治上的经验又很少。现在许多共产党员，仍受小资产阶级及改良派的观点与理想之遗害。我们现在斗争的战阵，异常复杂，幼稚的共产党，虽然发展很快，始终觉着应接不暇，艰难万状。譬如现时"统一战线"的策略（见本期第二编），尤其要共产党中一般的党员都能敏捷适应，彻底思考，且须有一致不变的宗旨，此种需要，不仅限于一党中少数的指导者。因此各国共产党中之共产教育必须从党员中进行起来，切不可只施于少数职员。盖共产党不像改良派，其重要事务不是少数领袖所执行，而是全体党员所参与的，共产党党员绝非仅享有选举权利，开会时到会，领有党证而已，更非盲从的群众，讨论时盲目投票而已。共产党员一定要担任党中职务的。因为必须服务，每个共产党员至少须有一点最小限度的政治智识和"马克思"主义的教育，再则须具些组织、演说与辩论之才能，学习公共会议之习惯法等，如此，方能组织各种机关内之共产党"小组"

（Cell），议会中工会中之共产"系"（fraction）。

共产教育与改良派教育大不相同。改良派使工人相信，以为在资本制度之内，虽然无产阶级横受剥削贫困不堪，始终在智识及艺术方面还可以与资产阶级平衡，似乎在资本制度之下，所谓全人类平等自由的幻想，至少在精神方面可以实现！以此而令工人不注意于阶级斗争。再则改良派教育偏向于个人主义、利己主义，或有工人借一己之勤恳，常听通俗科学演讲，及受某几种科目之特别训练，而后乃超越侪辈，这样就是利用同伴中之费用而使他地位较优。共产教育简直与此相反，他的宗旨是在训练成一辈革命战士，训育各个工人之阶级的共同责任心，使党中之战斗力、鼓动力与组织力发展增高。从这样看来，改良派教育之结果是使工人依赖于资产阶级的理想，而共产派教育的宗旨却是使工人超脱资产阶级思想的"轮回"。共产派教育使工人明白一切理想均依赖于经济与社会之基础常屈于经济与社会现状之下，欲得精神上之自由是不可能的。总之，改良派之教育仅与工人以现成的结论，况且还是用的很坏的普及方法，或受以很平常而未必可靠的资产阶级的科学与艺术智识，人家的残羹剩肴，反当他是膏粱肥肉。反之，共产派教育使无产阶级知道资产阶级的科学及全部教育制度均有阶级性质，而决与资产阶级的科学、艺术、道德、宗教宣战。指明资产阶级的趋势，不但在社会科学与政治中有，而且在不关社会与政治之科学中及纯粹抽象的问题中亦有。如此批评资产阶级的科学、艺术、道德、宗教，即所以建立共产派教育的基础，以备创造无产阶级的社会主义的新文化及平民生活之新模范。只有批评资产阶级的科学艺术，只有为着无产阶级革命而批评，为着阶级斗争之伟业而批评，方能创造无产阶级的新文化，否则所谓"新文化"都是幻想而已。

现在无产阶级贫困，非但缺少物质的产业，并且也缺少精神的产业，因为精神方面不能有遗传的"宝藏"，这就是无产阶级革命与资产阶级革命之重要异点。在资产阶级革命中，他们自己的有智慧者，当革命运动之际，便能于艺术与科学方面大放光明出来。他们所以能够做到这地步，因为在革命之前，资产阶级之衣食是充足的。况在资产阶级的政治革命之前，他们已享有物质与精神两方面的"生产手段"。无产阶级都大不然。无产阶级仅在取得政权之后，方能完全享有精神物质两方面的"生产手段"。虽然，最早的无产阶级的文化成绩，以历史的观点而论，却在幼稚时代，即能于斗争的过程中，锻炼出唯物史观的利器，督促马克思与昂格士二人建此伟大的马克思主义。

共产派教育之进行，既为专供奋斗之用，必须划有界限。设有一个经济竭蹶之党，又要做重大的政治奋斗，他所施的教育，决不能普及各种科学智识方面，而只能专限于有益于该党之科学。其他各派各种科学，固然很好，然而暂时并非直接有关于其运动的。相当的教育只能限于授几种直接有益于奋斗之科目，例如劳动革命运动之历史，马克思经济学社会学之要纲，及共产国际之原则及策略，必须教导党员。若在民众尚受宗教影响很深的地方，更当进一步，教导他们了解自然科学及宗教之来源。若在无产阶级群众多不识字的地方，应当注意初等教育，至少令党员必须受初等教育，这样方能使他们做宣传者、鼓吹者，及报告者，设使不授初等教育，他们就不能进行政治与革命的职务了。

试从这一层看来，可见共产党教育问题，首在于为党中增进鼓吹力与组织力的方法。

共产党一方面施行这样的普通教育于大众党员中，若欲完全其职务，对于职员之特别教育，亦当同时进行，因共产党在职工联合会、各种协作社、各种租户联合会，以及妇女与青年中都有事务执行，再则在国会及地方自治会等中亦有要做的事情，所以共产党之职员必须具有各种特别知识以备执行各种事务。担任这类职务，没有特别训练是不行的。因为一个人单有普通知识，不够办专门事业。共产党里若是没有勤恳的有系统有组织的教育事业，往往有危险发现，党员因无智识而不得不依赖其领袖，更因缺少必需的"民主主义的不肯轻信的精神"而不能监督和批评其领袖，和改良派一样。如此势必至于为虎头蛇尾的领袖所牺牲。但党员之普通教育及职员之特别教育，两种犹不足以尽共产派的教育。共产派教育一定应当发展到党外群众之间及与共产党表同情之人，尤当普及于改良派之工人，以至于漠视政治的普通民众之间。共产党不应当只有普通的宣传鼓动，必须有马克思学说之根底，而同时必令群众明白了解，应用极浅显的说理方法。有一大哲学家曾经说过，天下最精之艺术，莫若用极简单之语言以述极深奥之事。大多数共产党之鼓吹者都要表同情于这句格言。这本来是极难的事：要用十分简单的普通语言以发表马克思主义的科学理论及其政治情势的研究，又要留心党外的漠视政治的群众之偏见及成见。

应当从极普通的日常生活的利益上说到深切的伟大的目的，也确是一件最最困难的事情。所以共产党必须时常开创宣传与鼓吹之新法，以感动民众而引起他们的兴味，吾们应当知道，资产阶级素来用图画、幻灯，及教堂中各种游艺以蛊惑民众，所以最好也要利用电影、幻灯、艺术宴会及戏剧表演等于共产党中为政治宣传等之工具，共产党对于这一类运动还向来没有注意。但现在我们应当循序而实行之,吾们又必须与党外赞成共产主义的平民教育机关贯通,这里的平民教育机关差不多各国都有的,例如德国有"无产阶级自由思想者"之组织(Proletariat Free thinkers),在别个国里边这种运动有叫做"无产文化"(Proletcult)的,英国则称之为"平民联盟"(Plebs Leagues)。这类组织内的共产主义者大半已有活动,然而他们的活动不受共产党指导的。要知道,一两个人在这种平民教育机关里单独的活动,与受共产党之指导而为协作的活动,这两方面有大不相同的地方。

有几个国中设立许多补习学校,有市立的有国立的,如"平民大学"之类。有时这种学校亦能助共产党革命事业之进行,这里面念书的学生,多数是工人。倘共产党不伸展势力到这些工人渴求学问的地方去,那就放弃他的重要职任了,所以共产党应当竭力在这种学校里操得指挥权,而后可以鉴定他们的功课。共产党应当保有势力于这种教育机关内,或有时可假手于地方自治公会等。那么可以引起里边的工界学生反对资产阶级的教授与讲师。这种学校里的教授法当采取自由讨论的办法,这样可使优秀分子参与讨论而引起其对于资产阶级的学术持对抗派(Opposition)的态度。

当共产党取得政权之后,其教育问题自然又可以有另一形式,而范围亦要扩大了,到那个时候,共产教育问题,已非专为教育一辈党员、职员、组织者和宣传者等等。那时,已不能以党内交换政治智识自足。无产阶级独裁制既已得胜之国,共产党之职任已决不止此。必须在各工厂、各种文化机关、各学校、各大学之中都有共产主义的精神,全国文化生活都受共产主义之指导。

共产派教育与资产阶级及改良的教育,于教授法方面,亦有不同。现在资产阶级所办的"平民大学"中之普通教授法,仍旧不过使学生领受现成的学问罢了,学生仅用强记的方法迎受讲义,绝对是消极的。这样的教授法完全不合于共产教育,因为我们的主义,第一要与学生以科学的方法,马克思主义的方法使学生能自动地分析实际的历史情景及经济政治状况。这个方法,预备学生能够对改良派及资产阶级政治家辩论,又能够在工厂中工会中自己解决一切问题,拟议一切提案,提倡一切行动。

共产教育中,应当弃除无味的讲演式,而代以师生间集合的思想,就是利用自由讨论方法以交换意见,不是授不消化的学问于学生,令消极的迎受,一变而为积极的自动。

执行共产教育应当常以经验校正之,这种经验,是共产党在平日之奋斗与宣传中所得来的,所以共产教育应当与平日党中之宣传和奋斗有密切之关系,虽共产党之教育动作与政治动作无并行之情形,但是前者常附属于后者的,因此组织方面须注意一点,共产党执行教育事务之负责职员,不应当是一辈不著名的文人与美术家等等,以致讲不关革命之文化。但是必须是党中最优等的政务上的指导者与奋斗者,这样是使全部教育事务附属于党中之政治奋斗里边。至于教育政策必须与政治经验相关连之理,在某几种情形中就可显明出,当共产党在紧急的时候,必须召每个党员出来合全力以奋斗,在奋斗之中,重要的运动在于街道与工厂之间,此等时期理论上的事务,当然暂退至第二等重要地位。当平静时,再从事于理论方面,以分析过去之经验而从胜负之中推出新教训出来,变这些新教训为一种新知识和新势力之根源,以备将来奋斗之用。

总括起来,今日共产党对于教育事业所当行的事情至少如下列几项:中央设立教育机关以教导全体党员,及特别训练职员,与一切鼓动宣传以马克思主义的及科学的解释，而附以真正通俗的宣传法和幻灯、音乐、戏剧等机械方法。

即使最弱的共产党，必能做这些事项，以训练一辈办理党务的人出来。这辈人能用马克思主义以训练其余党员，其实教导一切党员、候补党员，及与共产主义表同情之人。亦不必一定有十分深奥的科学教授法，凡一富有经验的同志能够对于缺少政治智识的新党员授以一切必须有的学问。在某几种情形内，甚至必须教这辈新党员，怎么样去读共产党报纸，及报里面对于工人之宣传文字怎样的去实际应用。

共产党不可让少数党员任意单独行动发刊教科书等，这件发刊的事情，必须也是中央主持而用共产党全党之联合力以执行的。

共产党中掌理教育事务之文书股，须与党中之出版发行股联络，这样可以促进发刊对于教育事业特别重要之书籍，图书馆亦不可少的，因为工人日益贫乏，不能各自备重要之书，或竟无钱买最重要的马克思学说出版品，所以共产党的地方机关，应当设法补救这辈没有书看的工人，必当行的方法就是拿共产党的著作品放在工会的图书馆及公共的图书馆中，这样既可节省经费而仍能宣传重要的政治智识于党员及工人之中。共产党之中央出版部也应当找革命的美术家与著作家帮助宣传共产主义，要知道这类美术家与著作家各自单独行动，虽有宣传而无综合的计划，其结果没有像群力会于一处而合作的好。

共产党之教育事业也应当包括少年工人及儿童之教育事业在其中，如共产主义的少年团体独自施行教育，共产党非但应当供给他们经费，又应当供给教师及书籍等，每个共产党青年当有许入一切共产党教育机关的权利，共产党又应当注意平民儿童之革命教育，这种教育已由各地共产党童子会的组织着手进行。

此次教育问题委员会呈建议于大会：共产国际执行委员会，应特设一部，组织、指导及监督各党之共产教育事业，以使共产教育机关成为国际的组织。并在莫斯科设立一社会主义学院，因该地为执行委员会所在之区，各国共产党聚集之处，最易研究国际的总运动，许多详细的情形容后再说。但我们决定各国必须遣多少具有初步学识的同志，到这里来受完备的马克思主义教育。因为西方各共产党，除俄罗斯共产党以外，所以受困的原因，是由多数党员缺少切实的马克思主义学识之缘故，设了一个马克思主义研究学校，就能满足这种需要了。

固然，以上所说的计划，依集中制度为原则而组织，作极有系统的文化运动，在各国应用起来，必各有不同，不能一致。因为有的党已能公开，有的却还在秘密状态之中；再则，大的党经济必较宽裕，小的党思想还没有稳定。所以此一有系统的文化运动，学理的研究，假使能由共产国际执行委员会来员总指导之责，必定能大增各国共产党及共产国际之战斗力。

（二）克鲁朴斯嘉女士之演说

同志们，我要在项莱同志所说之外再加几句，我们俄罗斯共产党，于鼓吹与宣传方面素有很多经验，吾党中之特色，就是每个党员必须活动，这是由于党中之情形使然。盖共产党从来算为一种不法组织，入党的人就要冒大危险，第一件危险事就是要被捕，党中无利益给党员而能使党员尽大责任，所以只有积极的分子方来入党。然于理论上，此一问题早已十分明白。二十年前列宁同志所著的《怎么办》（*What Must Be Done*）一书中慎重说，每个党员必须担任党中职务。一九○三年共产党第二次大会讨论党员资格问题，遂肇布尔塞维克(Bolsheviks)与孟塞维克(Mensheviks)两派分裂之源。列宁之提议，以为每个党员非但必须赞成党中的党纲，而且必须在党中某一机关服务。反之，马尔托夫(Martov)之提议，以为每个党员仅当承认党中之党纲，待受其指导而服务。两派意见之分歧，初看似乎很小。当时有许多党员确以为这个争论中包含意义甚微，而并无利害的背景，但从共产党以后之历史证明出来，这一争论却有极重要之意义。吾党之得有影响于群众，而能占优胜地位，显然是党员都活动的缘故，盖每个党员必须尽力党务，那么，党中之全部组织及鼓吹与宣传方面都受利益了。仅因与会所至而研究理论研究各种问题，是一件事，若因实际运动的需要而研究理论，求各种问题的深切的解决方法，却又是一件事。每一党员必任"鼓吹"的责务，或作宣传事业或从事于组织方面。我要先在"鼓吹"(Agitation)方面说一点。共产党于鼓吹方法组织切当，所以能影响群众。鼓吹一法就是提起人的感情。曾因用这个方法，而有许多人来入共产党，鼓吹问题之开创在经济运动发现之时。第一期所鼓吹的，就是须奋斗以改善工人物质方面的生活状况，那时候在一千八百九十余年间，由是我们同志中有许多人对于这方面之奋斗过于注意，其结果遂发现一派，所谓"工人思想派"（работчеснгслентсе！俄文）。这派人过于看重群众无秩序的自生自灭的劳工运动。他们因鼓吹既能大得胜利，于是相信奋斗之进行，无需于理论之宣传，只赖工人之运动罢了。这一派人，甚至于说，工人自能达到社会主义，无需乎马克思与昂格士等。由是共产党对于这种趋势竭力奋斗，故此后又有一问题发生，就是"怎么样使我们的吹鼓力深入"。这个讨论发生于二十年前。我们同志中有一部分人主张以为我们不必增加鼓吹的力量，只要限于群众日常易晓的问题，当时群众只知道经济问题，于是这一部分党员主张，以为我们应当限于鼓吹这一方面的问题而不可出此范围，不要提高当时工人的程度。

这一派人就是所谓"经济派""劳工事业派"——当时此派之俄文报纸名劳工事业（работчие дело）。他们主张，不必加深鼓吹之程度，只须跟着工人阶级在后面追。当时之"火星派"（列宁等一派，"火星"亦报名，俄文为искрсе）即极力反对，实因其有害于工人运动之进步。确是不错，假使全党都以"经济派"的观点为观点，决不能领导群众。

马克思主义助我们共产党正确审定"鼓吹"之价值。这件事我们那时怎么样做的呢？就是吾们时常分划吾们鼓吹之集中点。在十九世纪之末，经济的要求是吾们鼓吹之集中点，在一九〇五年，集中点就是工人政治上之要求，而后来到大战时候，战争就为集中点了，但是集中点不过是许多问题中汇集的一点。鼓吹员联合组织成"职员会"而讨论各问题之分配。在大战时候我们共产党之能成大事，因为从前吾们十分注意于一种鼓吹问题的缘故，至若讨论鼓吹之形式，我将先论口头的鼓吹，这种鼓吹之得胜，不十分凭借演说者之口才及其演说术之程度，而大分赖于鼓吹问题对于群众之兴味何如。

这层关系在各种情形中证明出来都是正确的，例如在战争的时候，一个不善于谈话的兵丁而能使群众受感动，这是因为他言语之间发表群众的感觉的缘故，这一种鼓吹应当特别注重。他若地方关系的鼓吹问题，现在我且不讨论，但是我要指出在战争时所常用的一种鼓吹，这就是用艺术方法的鼓吹，要知道工人之思想，偏于具体的形象较多，而抽象的推理很少。所以用画片、音乐与戏剧等艺术以鼓吹，能发生大印象于群众工人之脑中，若欲引起群众工人直接行动之时，则用艺术鼓吹，尤其有重要价值，关于这一方面俄国的经验实足以证明，此种形式之鼓吹确有极重大的意义。

我们共产党里边相传下来的方法，非但鼓吹一种"宣传"（Propaganda）在吾党中也是重要职务。当我们的鼓吹起初感动群众之先，我们已行宣传于秘密的结社里。研究马克思主义的学者往往来党中念马克思与昂格士的著作，讨论日常生活中之问题。所讲的是文化史及经济学等。这种习惯入人很深，不但成年工人，而且少年工人都受影响。我曾亲见一偏僻的村庄中，幼年工人要求他们的女教员，教以从前他们在"工社"中所研究的科目经济学与文化史，诚然不错，这种"工社"中的研究，为时往往很短，每因逮捕，而工人乃不得不于流戍监狱之中，"终其所业"。

我们俄国的习惯，几至于监狱或流戍之地，自成其为一种学校。在这些"学校"中许多工人后来成了得力的职员，因为受了马克思主义的教育，那"劳工事业派"都不明白宣传之重要。列宁同志同他们争论，指出昂格士的农民战争（The Peasants' War）之绪言中所说：工人阶级之经济运动，及政治斗争而外，还有学理的训育，也有同样的重要。共产党对于鼓吹及宣传问题，从来不与其根本事业分开，盖鼓吹与宣传是共产党中之重要职务。

现在俄国共产党已成公开的组织，工人已经取得政权，而工会中之教育事业仍旧保存此好习惯。凡是从事于政治教育的职员，无论在什么地方，不论是成年人的补习学校，不论是图书馆，不论是职工联合会，人人都就其能力范围之内，尽其宣传之责任，现在正进行不懈呢。因为这种种缘故，我们造成这样的一种大势力，使马克思主义教育普遍全国，而少年人现在很勤恳研究这种学问，吾们欢迎这种倾向于理论研究的趋势。这一点在上次我国共产少年大会时尤其明显(一九二三年秋)。

综括地说来,我们的现在却正在大变迁之交。当革命之初年,我们的注意大致完全在战场上及一般民众之间。现在我们进而经营经济建设事业,就更当做深入一层的功夫。现在大家对于马克思之理论及研究马克思主义,十分有兴味。我任职于"政治政育委员会",每天我们得有许多接触,足以证实,如今群家实在渴求智识之增高。这个情形完全是当然之理。盖一九〇五年之革命,鼓动群众,怒潮遍于全国。此后,反动随之,在这几年反动时期间,智识阶级灰心失志。他们以为革命的一切胜利已经完全丧失,无可挽回。然而群众却永没有忘记革命。一九一二年林纳(Lena)之役(金矿工人罢工被残杀),立刻便激起群众,足证这几年间工人阶级有多大的进步。无形之中,这几年已经成就工人运动内部的事业不少。当时群众对于革命的感想,那几年来确已细细地经过一番"回味",一番讨论。一九一二年的劳工群众,就已经比一九〇五年大不相同了。现在亦是这种过程。群众专意于修养,专意于建设物质的基础,来巩固革命之胜利,然而建设物质上的经济事业,却需要人才,需要更高的文化程度,要劳动之一切旧习惯的革新,要社会心理的变更。

现时我们正又经历一个时期,在此过程中,当有深沉的伏流的无形之中的伟大事业成就呢。俄罗斯的工人阶级、劳工青年,现在正发愤向学。一方面他们研究"生产"之定义,亦就是一方面自己发展能力,这正教我们能抱无穷的希望,将来世界革命一日爆发之时,我们一定满有准备的了。

(季刊第一期,一九二三年六月十五日)

无产阶级革命与文化

蒋侠僧

> 我的心灵使我追悔,
> 那八十年前的海涅,
> 多情的海涅啊!
> 你为什么多虑而哭泣呢?
> 多情的诗人,
> 可惜你未染着十月革命的赤色!
>
> ——录侠僧《我的心灵》诗一节

"……想起来那个时候——共产主义者,不信神的人们得到了统治权,用自己粗糙的手腕,毫不怜惜地破坏一切温柔的美的偶像(我的心灵所贵重的东西)——我真是恐怖而战栗啊!他们破坏一切为诗人所爱的艺术的幻景;铲锄去我的娇艳的樱桃树林,而种下粗野的马铃薯;美妙的百合花亦将要被芟去而离开社会上一块土了!……呸!当我想起来那个时候——凯旋的无产阶级将我的诗抛入坟墓与一切旧的浪漫幻想的世界同归于尽——我真抱着无限说不出来的羞辱啊!"

德国伟大的诗人海涅在一八五六年临死不久的时候,写出自己对于将来的悲痛。他明知道无产阶级，粗糙的共产主义者，要得到政权，为世界的统治者；但同时忧惧他们破坏一切为诗人所爱的东西。哎哟！我的多情的海涅啊！你真是空忧惧了！倘若你能活到十月革命之后，亲睹俄国无产阶级对于旧有艺术保护无所不至，你又作何感想呢？

共产主义者也爱百合花的娇艳，但同时想此百合花的娇艳成为群众的赏品；共产主义者也爱温柔的美的偶像，但同时愿把此温柔的美的偶像立于群众的前面。共产主义者对于资产阶级之无意识的玩物，非常的厌恶，然对于美术馆、博物馆及一切可为群众利益的艺术作品，仍保护之不暇，还说什么破坏呢？共产主义者对于帝王的冠冕可以践踏，但是对于诗人的心血——海涅的《织工》、哥德的《浮士德》，仍是歌颂，仍是尊崇！我的海涅啊！你可知道你有许多的作品还为共产主义者所诵读呢。倘若你能听到这诵读的声音，你又作何感想呢？

海涅真是白忧惧了！

倘若有人说，无产阶级只能作破坏人类文化的事业，无产阶级革命也只是为着讨厌的面包问题，而不能顾及人类文化的前途，那么，我们现在拿俄国无产阶级做一例证，好不好呢？

我们是粗暴的劳动军，
我们战胜海洋陆地的空间，
举着人为的太阳之光照遍都城，
我们的心灵之火也红得动地惊天。
我们立于暴动的权威之上，
让人们对于我们的呼喊：

"你们是杀美的刽子手啊!"
为着明天,我们抛去艺术之花,
我们焚毁宫殿,破坏博物馆!……
——克里洛夫《我们》诗一节

在无产阶级革命的怒涛中,本有破坏一切艺术的一种倾向,这种倾向,不过是对于资产阶级文化之反动,为一时的,无理性的现象。克里洛夫本是无产阶级出身的革命诗人,这一种不顾一切的宣言,实可代表俄国无产阶级对于文化,一种反常的心理。然而当十月革命发作时,对于文化问题之解决有二大趋向:克里洛夫代表无产阶级之一种反常的趋向;我们又可以在无产阶级诗人格拉昔莫夫诗中,看出无产阶级革命对于文化问题之一种伟大纯正的趋向。格拉昔莫夫答复克里洛夫的宣言:

我们统了都拿来,我们统了都认识,
我们探讨广大的深渊到底。
这金光灿烂的五月,
使得春天的心灵沉醉,
我们能领受一切,
我们向着这新的博物馆高举玉杯……

这真是无产阶级对于文化的态度啊!"我们统了都拿来,我们统了都认识",这种态度是何等伟大呢。虽然当无产阶级革命时,发生一种反常的潮流,但是这种反常的潮流是一时的,而非永久的。整理过去的文化,创造将来的文化,本是无产阶级革命对于人类的责任,这种责任也只有无产阶级能够负担。所以克里洛夫的宣言终为格拉昔莫夫的宣言所战败了。

十月革命以后,一些攻击共产党的人,天天闭着双眼,乱骂共产党人为杀美的刽子手,人类文化的蟊贼——总之,共产党是野蛮分子。现在俄国革命已经六年了,无产阶级政权日益巩固,而对于俄国旧有的文化,所损害在什么地方呢?剧院、博物馆,不但没有被野蛮的共产党所破坏,而且较从前增加得多了。虽然在最短时期中,不能产出伟大的著作家,但是现在俄国文学界总比欧美兴勃得多了。教育因为经济困难不能发展到我们所希望的地步,但是比较未革命以前,一般人民的程度已高得多了。到底无产阶级对于人类文化所损害的在什么地方呢?无产阶级革命对于人类文化有无损害,我们可以在俄国看得出来。倘若反对共产主义者的人们,一定要骂共产党为人类文化的蟊贼,那我们也不愿意多争辩了。

不错,无产阶级革命是为着解决讨厌的面包问题,倘若没有面包问题,十月革命也将不会发生了。但是无产阶级革命的意义就止于解决面包问题吗?正面说无产阶级革命原是为着解决讨厌的面包问题,而在反面说,无产阶级革命也就是对于人类文化之促进。面包为文化之本,面包问题不解决,人类文化永无充分发展的希望:人们不能饿着肚皮,静听美妙的音乐;人们更不能饿着肚皮,创造出贵重的作品!我们固然知道这美妙音乐、贵重的作品,可以圆满人类最高度的精神生活,但是若面包问题不解决,这美妙的音乐、贵重的作品,纵然不能完全不能存在,至少也可以说为少数人独享,而其余的多数人,都无赏鉴、听闻的机会。

无产阶级革命,不但是解决面包问题,而且是为人类文化开一条新途径。

　　人类的精神生活由其物质生活而定。换言之，人类文化依着物质的、经济的基础而发展。物质的基础发展到某一定程度，人类文化必与之相符合，而不能超出范围，因为人类文化本是人类物质生活的产物。某一时代经济发展的形式规定某一时代文化发展的程度：原始共产社会时代的文化是一样，封建制度时代的文化是别一样，而资本主义时代的文化更与前二者不同。经济形式进步，文化也随之发展，所以封建制度时代的文化比原始共产社会时代的文化高，而资本主义时代的文化又比封建制度时代的文化高。

　　但是因为生产力没有充分发展的缘故，社会中分成统治与被统治二个阶级。因为社会中有阶级的差别，文化亦随之而含有阶级性。统治的阶级为着制服被统治阶级，于是利用文化迷惑被统治阶级之耳目，而别一方面被统治阶级生活于劳苦之中，几无享受文化之机会。不错，文化为全人类的结晶，但因阶级斗争缘故，文化本身不得不蒙着一重阶级色彩了。

　　试问在现在有阶级的社会中，多数人们能听得美妙音乐么？多数人们有创造贵重作品的机会么？资产阶级占有文化，或借文化为消磨无产阶级觉悟的工具，可以说，现在资本主义制度下的文化非有害于无产阶级，即与无产阶级没有关系。

　　试问现代的文化能称为全人类的文化么？现代的文化是阶级的文化！阶级为文化发展的障碍，阶级不消灭，人类文化永无充分发展之可能。

　　无产阶级革命的目的是消灭社会阶级，建设无产阶级社会，实现共产主义。生产机关与工具既属公有，竞争市场的现象必归消灭。用全社会力量发展全社会生产力，生产力当然可以发达到最高程度,而随生产力发展而发展的文化,当然也可无止境地发达起来。阶级既归消灭,文化的阶级性亦随之而失去,全人类的文化方有开始发展之可能。虽然无产阶级革命一时不能创造成全人类的新文化(因为阶级一时不能消灭),然而无产阶级革命却开辟了创造全人类的新文化之一条途径。

照着这一条新的途径走,且看将来人类文化的灿烂光华啊!

倘若现在的社会中,多数人们不能静听美妙的音乐,无创造贵重作品之机会,则在将来社会中,人人都能静听美妙的音乐,都有创造贵重作品之机会,岂不是快事么?

所谓无产阶级文化,是否有存在之可能?主张全人类文化说者,以为文化为全人类所有的,当然没有阶级性,所谓资产阶级文化、无产阶级文化等等,直是一种成见而已。

我上头已经说过了,文化为全人类的结晶,不应为任何阶级所独占,但是在有阶级的社会中,文化虽为全人类产物,其势力不得不为统治阶级所私有。统治阶级,一方面为自己阶级地位巩固计,竭力发展自己阶级的文化,而别一方面,将所有非自己阶级所产出的文化,务使其适应自己阶级的利益,而灌输之以自己阶级的思想。阶级的文化就因此而成立了。封建阶级有自己特殊的文化,资产阶级也有自己特殊的文化,在事实上,实不容加以否认。

无产阶级亦与其他阶级一样,在共产主义未实现以前,当然能够创造出自己特殊的文化——无产阶级的文化。而在别一方面说,这种无产阶级的文化为真正全人类文化的开始。真正全人类的文化,在无产阶级完全得到胜利之后,才能实现:无产阶级消灭各阶级之后,全人类成为一体,文化再没有含着阶级性的可能。此种共产主义的文化——全人类的文化——现在我们暂且不说,我们所要说的，就是在过渡时代，无产阶级能否创造自己特殊的文化。

无产阶级文化，在欧洲、美洲已经开始发展了。无产阶级既成为政治上一大势力，在文化上不得不趋向于创造自己特殊的、而与资产阶级的相对抗。这种趋向经过自己的思想家表现出来。无产阶级亲手创造出许多伟大的无产阶级诗人。

但是在无产阶级未握政权的国家中，此种无产阶级文化，当然发展在极低度，因为物质的力量欠足，无产阶级不能为所欲为的缘故。在无产阶级执政的国家（譬如俄国），无产阶级文化的发展程度快得多了。现在俄国无产阶级的诗人、无产阶级的剧院、无产阶级的艺术家……在文化上，已经夺得一部分优越的地位，而努力创造自己阶级的文化，这些无产阶级诗人、剧院、艺术家……可以说为无产阶级文化的代表。

倘若有人问：无产阶级文化是不是可能的呢？我们就回答：无产阶级文化，不但是可能的，而且是必然的。

无产阶级文化在自己社会经济的基础上，当然比资产阶级文化高些，范围宽大些。无产阶级文化的基础是现代的大工业，伟大的机器已经锻炼得无产阶级异常强固——因此无产阶级的文化更有切实的根据。在思想方面，无产阶级经过自己的伟大思想家，已成立科学的根据，比较资产阶级更强有力得多了。

倘若资产阶级从高等的阶级（贵族）及知识阶级（小资产阶级）中得了许多帮助者，无产阶级从别的阶级中所得来的帮助者必定更多。一些慈心而颖慧的人，自然对无产阶级抱绝大的同情。有时并且有些伟大的分子从敌无产阶级跑将过来，而为无产阶级革命的忠臣。这些阶级的叛贼，在无产阶级革命以前，可以促进无产阶级革命的速度，在无产阶级革命成功以后，更对无产阶级文化之创造上，将有莫大功绩。因此无产阶级的文化，不但是可能的，而且已有很坚固的根据了。

现在且回头看一看无产阶级革命后的俄国：俄国无产阶级收集了许多由别阶级跑来的一切尊重人类文化的分子，正在一方面发展无产阶级文化，而别一方面同时开始全人类文化的途径呢！倘若同海涅有一样忧虑的人们，现在可以觉悟了！

（季刊第三期，一九二四年八月一日）

教育改革

今日之教育方针

陈独秀

　　居今日之中国而谈教育，无贤不肖将共非之。上方百计仆此以为弭乱之计，下亦以非生事所需。一言教育，贤者叹为空谈，不肖者詈为多事，吾则以为皆非也。多事之说，良以教育非能致富求官也，然则教育之所以急需，正为此辈而设；空谈之说，亦志行薄弱、随俗进退者之用心，吾无取也。何以言之？盖教育有广、狭二义：自狭义言之，乃学校师弟之所授受；自广义言之，凡伟人、大哲之所遗传，书籍报章之所论列，家庭之所教导，交游娱乐之所观感，皆教育也。以执政之摧残学校，遂谓无教育之可言。执政倘焚书坑儒，将更谓识字之迂阔乎？以如斯志行薄弱之人主持教育，虽学校遍乎域中，岁费增至亿万，兴国作民之事，必无望也！反乎此者，虽执政尽废全国学校，而广义教育，非其力所能悉除。强毅之士，不为所挠，填海移山，行见教育精神，终有救国新民之一日。发空谈之长叹，煽消极之恶风，其罪殆与摧残教育之执政相等。即以狭义之教育言之，二三年来，学校破坏，诚可痛心；然就此孑遗，非绝无振作精神之余地，乃必欲委心任运，因循敷衍，致此残败之余，亦归残败。青年学子，用以自放，绝无进取向上之心。呜呼！是谁之罪欤？吾以为已破坏之学校，罪在执政；未破坏之学校，其腐败堕落等于破坏者,则罪在教育家。

　　教育家之整理教育,其术至广,而大别为三:一曰教育之对象;一曰教育之方针;一曰教育之方法。教育之对象者,即受教育者之生理的及心理的性质也;教育之方针者,应采何主义以为归宿也;教育之方法者,应若何教授陶冶以实施此方针也。三者之中,以教育之方针为最要。如矢之的、如舟之柁,不此是图,其他设施,悉无意识。第所谓教育方针者,中外古今,举无一致。欧洲中世,教育之权,操之僧侣,其所持教育方针,乃以养成近似神子(即耶稣)之人物。近世政教分离,国民普通教育,恒属于国家之经营。施教方针,于焉大异。斯巴达(Sparta Laconia,古代希腊州之首府)人之教育,期以好勇善斗,此所谓军国民教育主义也。此主义已为近世教育家所不取(德意志及日本虽以军国主义闻于天下,然其国之隆盛,盖不独在兵强。其国民教育方针,德、智、力三者未尝偏废),以其戕贼人间个性之自由,失设教之正鹄也。法兰西哲学者卢梭,以人生本乎自然为立教之则,此哲家之偏见,未可施诸国民普通教育者也。德意志之哲学者赫尔巴特(Herbart),近世教育家之泰斗也。其说以品行之陶冶为教育之极则。十九世纪言教育者,多以赫氏为宗。所谓赫尔巴特派教育学与康德派哲学,殆如并世之双峰。然晚进学者多非之,至称为雕刻师而非教育家,盖以其徒事表象之庄严,陷于漠视体育与心灵二大缺点也。现今欧美各国之教育,罔不智、德、力三者并重而不偏倚,此其共通之原理也。而各国特有之教育精神:英吉利所重者,个人自由之私权也;德意志所重者,军国主义,举国一致之精神也;法兰西者,理想高尚、艺术优美之国也;亚美利加者,兴产殖业,金钱万能主义之国也。稽此列强教育之成功,均有以矜式宇内者。吾国今日之教育方针,将何所取法乎？窃以理无绝对之是非，事以适时为兴废。吾人所需于教育者，亦去其不适以求其适而已。盖教育之道无他，乃以发展人间身心之所长而去其短，长与短即适与不适也。以吾昏惰积弱之民，谋教育之方针，计惟去短择长，弃不适以求其适。易词言之，即补偏救弊，以求适世界之生存而已。外览列强之大势，内鉴国势之要求，今日教学相期者：第一，当了解人生之真相；第二，当了解国家之意义；第三，当了解个人与社会经济之关系；第四，当了解未来责任之艰巨。准此以定今日教育之方针，教于斯，学于斯，吾国庶有起死回生之望乎！依此方针，说其义于下方：

（一）现实主义

人生之真相，果如何乎？此哲学上之大问题也。欲解决此问题，似尚非今世人智之所能。征诸百家已成之说，神秘宗教，诉之理性，决其立言之不诚。定命之说，不得初因，难言后果。印度诸师，悉以现象世界为妄觉，以梵天真如为本体（惟一切有部之说微异斯旨）。惟征之近世科学，官能妄觉，现象无常，其说不误。然觉官有妄，而物体自真；现象无常，而实质常住。森罗万象，瞬刻变迁，此无常之象也；原子种性，相续不灭，此常之象也。原子种性不灭，则世界无尽；世界无尽，则众生无尽；众生无尽，则历史无尽。尔我一身，不过人间生命一部分之过程。勿见此身无常，遂谓世间一切无常。尔之种性及历史，乃与此现在实有之世界相永续也。以现象之变迁，疑真常之存在，于物质世界之外，假定梵天真如以为本体，薄现实而趣空观，厌倦偷安，人治退化，印度民族之衰微，古教宗风不能无罪也。耶稣之教，以为人造于神，复归于神，善者予以死后之生命，恶者夺之，以人生为神之事业。其说虽诞，然谓天国永生，而不指斥人世生存为妄幻，故信奉其教之民，受祸尚不若印度之烈。加之近世科学大兴，人治与教宗并立，群知古说迷信不足解决人生问题矣。总之，人生真相如何，求之古说恒觉其难通；征之科学，差谓其近是。近世科学家之解释人生也：个人之于世界，犹细胞之于人身，新陈代谢，死生相续，理无可逃；惟物质遗之子孙（原子不灭），精神传之历史（种性不灭），个体之生命无连续，全体之生命无断灭。以了解生死故，既不厌生，复不畏死。知吾身现实之生存，为人类永久生命可贵之一隙，非常非暂，益非幻非空。现实世界之内有事功，现实世界之外无希望。唯其尊现实也，则人治兴焉，迷信斩焉，此近世欧洲之时代精神也。此精神磅礴无所不至：见之伦理道德者，为乐利主义；见之政治者，为最大多数幸福主义；见之哲学者，曰经验论、曰唯物论；见之宗教者，曰无神论；见之文学、美术者，曰写实主义、曰自然主义。一切思想行为，莫不植基于现实生活之上。古之所谓理想的、道德的黄金时代，已无价值之可言。德意志诗人海雷（Heine，生于一七九七年，卒于一八五六年。）有言曰："海之帝国属于英吉利，陆之帝国属于法兰西，空之帝国属于德意志。"斯言也，意在讽劝其国人，一变其理想主义而为现实主义也。现实主义，诚今世贫弱国民教育之第一方针矣。

（二）惟民主义

封建时代，君主专制时代，人民惟统治者之命是从，无互相连络之机缘。团体思想，因以薄弱。此种散沙之国民，投诸国际生存竞争之漩涡，国家之衰亡，不待蓍卜。是以世界优越之民族，由家族团体进而为地方团体，更进而为国家团体。近世欧洲文明进于中古者，国家主义亦一特异之征也。第国家主义既盛，渐趋过当，遂不免侵害人民之权利。是以英法革命以还，惟民主义已为政治之原则。美、法等共和国家无论矣，即君主国，若英吉利，若比利时，亦称主权在民，实行共和政治。欧洲各国，俄罗斯、土耳其之外，未有敢蹂躏宪章、反抗民意者也。十八世纪以来之欧洲绝异于前者，惟民主义之赐也。吾人非崇拜国家主义，而作绝对之主张；良以国家之罪恶，已发现于欧洲，且料此物之终毁。第衡之吾国国情，国民犹在散沙时代，因时制宜。国家主义，实为吾人目前自救之良方。惟国人欲采用此主义，必先了解此主义之内容。内容为何？欧美政治学者诠释近世国家之通义曰："国家者，乃人民集合之团体，辑内御外，以拥护全体人民之福利，非执政之私产也。"易词言之，近世国家主义，乃民主的国家，非民奴的国家。民主国家，真国家也，国民之公产也，以人民为主人，以执政为公仆者也；民奴国家，伪国家也，执政之私产也，以执政为主人，以国民为奴隶者也。真国家者，牺牲个人一部分之权利，以保全体国民之权利也；伪国家者，牺牲全体国民之权利，以奉一人也。民主而非国家，吾不欲青年耽此过高之理想；国家而非民主，则将与民为邦本之说背道而驰。若惟民主义之国家，固吾人财产身家之所托，人民应有自觉、自重之精神，毋徒事责难于政府。若期期唯共和国体是争，犹非根本之计也。

（三）职业主义

现实之世界，即经济之世界也。举凡国家、社会之组织，无不为经济所转移、所支配。古今社会状态之变迁，与经济状态之变迁，同一步度，此社会学者、经济学者所同认也。今日之社会，植产兴业之社会也，分工合力之社会也。尊重个人生产力，以谋公共安宁、幸福之社会也。一人失其生产力则社会失其一部分之安宁幸福。生产之力弱于消费，于社会、于个人皆属衰亡之兆。征之吾国经济现象，果如何乎？功利货殖，自古为羞；养子孝亲，为毕生之义务。此道德之害于经济者也。债权无效，游惰无惩，此法律之害于经济者也。官吏苛求，上下无信；姬妾仆从，漫无限制，此政治之害于经济者也。并此数因，全国之人，习为游惰。君子以闲散鸣高，遗累于戚友；小人以骗盗糊口，为害于闾阎。生寡食众，用急为舒。于此经济竞争剧烈之秋，欲以三等流氓（政治家为高等流氓，士人为中等流氓，流氓为下等流氓，以其均无生产力也）立国，不其难乎？今之教育，倘不以尊重职业为方针，不独为俗见所非，亦经世家所不取。盖个人以此失其独立自营之美德，社会经济以此陷于不克自存之悲境也。

（四）兽性主义

日本福泽谕吉有言曰："教育儿童，十岁以前，当以兽性主义；十岁以后，方以人性主义。"进化论者之言曰："吾人之心，乃动物的感觉之继续。人间道德之活动，乃无道德的冲动之继续。良以人类为他种动物之进化，其本能与他动物初无异致。所不同者，吾人独有自动的发展力耳。强大之族，人性、兽性同时发展。其他或仅保兽性，或独尊人性而兽性全失，是皆堕落衰弱之民也。"兽性之特长谓何？曰意志顽狠，善斗不屈也；曰体魄强健，力抗自然也；曰信赖本能，不依他为活也；曰顺性率真，不饰伪自文也。皙种之人，殖民事业遍于大地，唯此兽性故；日本称霸亚洲，唯此兽性故。彼之文明教育，粲然大备。而烛远之士，恒期期以丧失此性为忧，良有以也。余每见吾国曾受教育之青年，手无缚鸡之力，心无一夫之雄；白面纤腰，妩媚若处子；畏寒怯热，柔弱若病夫。以如此心身薄弱之国民，将何以任重而致远乎？他日而为政治家，焉能百折不回，冀其主张之贯彻也？他日而为军人，焉能戮力疆场，百战不屈也?他日而为宗教家,焉能投迹穷荒,守死善道也?他日而为实业家,焉能思穷百艺,排万难冒万险、乘风破浪制胜万里外也?纨绔子弟,遍于国中;朴茂青年,等诸麟凤。欲以此角胜世界文明之猛兽,岂有济乎?茫茫禹域,来日大难。吾人倘不以劣败自甘,司教育者与夫受教育者,其速自觉觉人,慎毋河汉吾言,以常见虚文自蔽也!

(第一卷第二号,一九一五年十月十五日)

体育之研究

二十八画生[①]

国力苶弱,武风不振,民族之体质,日趋轻细。此甚可忧之现象也。提倡之者,不得其本,久而无效,长是不改,弱且加甚。夫命中致远,外部之事,结果之事也。体力充实,内部之事,原因之事也。体不坚实,则见兵而畏之,何有于命中,何有于致远?坚实在于锻炼,锻炼在于自觉。今之提倡者,非不设种种之方法,然而无效者,外力不足以动其心,不知何为体育之真义,体育果有如何之价值,效果云何,著手何处,皆茫乎如在雾中,其无效亦宜。欲图体育之有效,非动其主观、促其对于体育之自觉不可。苟自觉矣,则体育之条目,可不言而自知,命中致远之效,亦当不求而自至矣。不佞深感体育之要,伤(伤)提倡者之不得其当,知海内同志,同此病而相怜者必多。不自惭赧,贡其愚见,以资商榷。所言并非皆已实行,尚多空言理想之处,不敢为欺。倘辱不遗,赐之教诲,所虚心百拜者也。

第一 释体育

自有生民以来,知识有愚暗,无不知自卫其生者。是故西山之薇,饥极必食;井上之李,不容不咽;巢木以为居,皮兽以为衣,盖发乎天能,不知所以然也,然而未精也。有圣人者出,于是乎有礼。饮食起居,皆有节度。故子之燕居,申申如也,夭夭如也;食饐而餲,鱼馁而肉败,不食;射于矍相之圃,盖观者如墙堵焉。人体之组成,与群动无不同,而群动不能及人之寿,所以制其生者无节度也。人则以节度制其生,愈降于后而愈明,于是乎有体育。体育者,养生之道也。东西之所明者不一:庄子效法于庖丁,仲尼取资于射御;现今文明诸国,德为最盛,其斗剑之风,播于全国;日本则有武士道,近且因吾国之绪余,造成柔术,骎骎乎可观已。而考其内容,皆先精究生理,详于官体之构造,脉络之运行,何方发达为早,何部较有偏缺,其体育即准此为程序,抑其过而救其所不及。故其结论,在使身体平均发达。由此言之,体育者,人类自养其生之道,使身体平均发达,而有规则次序之可言者也。

第二　体育在吾人之位置

体育一道,配德育与智育,而德智皆寄于体,无体是无德智也。顾知之者或寡矣,或以为重在知识,或曰道德也。夫知识则诚可贵矣,人之所以异于动物者此耳。顾徒知识之何载乎?道德亦诚可贵矣,所以立群道、平人己者此耳。顾徒道德之何寓乎?体者,为知识之载而为道德之寓者也。其载知识也如车,其寓道德也如舍。体者,载知识之车而寓道德之舍也。儿童及年入小学,小学之时,宜专注重于身体之发育,而知识之增进道德之养成次之。宜以养护为主,而以教授训练为辅。今盖多不知之,故儿童缘读书而得疾病或至夭殇者有之矣。中学及中学以上,宜三育并重,今人则多偏于智。中学之年,身体之发育尚未完成,乃今培之者少而倾之者多,发育不将有中止之势乎?吾国学制,课程密如牛毛,虽成年之人,顽强之身,犹莫能举,况未成年者乎?况弱者乎?观其意,教者若特设此繁重之课,以困学生,蹂躏其身而残贼其生,有不受者则罚之,智力过人者,则令加读某种某种之书,甘言以话之,厚赏以诱之。嗟乎,此所谓贼夫人之子欤!学者亦若恶此生之永年,必欲摧折之,以身为殉而不悔,何其梦梦如是也!人独患无身耳,他复何患?求所以善其自身者,他事亦随之矣。善其身无过于体育,体育于吾人实占第一之位置。体强壮而后学问道德之进,修勇而收效远。于吾人研究之中,宜视为重要之部。学有本末,事有终始,知所先后,则近道矣,此之谓也。

第三　前此体育之弊及吾人自处之道

三育并重,然昔之为学者,详德智而略于体。及其弊也,偻身俯首,纤纤素手,登山则气迫,步水则足痉。故有颜子而短命,有贾生而早夭,王勃、卢照邻,或幼伤,或坐废,此皆有甚高之德与智也。一旦身不存,德智则从之而隳矣。唯北方之强,任金革死而不厌,燕赵多悲歌慷慨之士,烈士武臣,多出凉州。清之初世,颜习斋、李刚主文而兼武。习斋远跋千里之外,学击剑之术于塞北,与勇士角而胜焉。故其言曰:文武缺一岂道乎?顾炎武,南人也,好居于北,不喜乘船而喜乘马。此数古人者,皆可师者也。

学校既起,采各国之成法,风习稍稍改矣。然办学之人,犹未脱陈旧一流,囿于所习,不能骤变。或少注意及之,亦唯是外面铺张,不揣其本而齐其末。故愚观现今之体育,率多有形式而无实质。非不有体操课程也，非不有体操教员也，然而受体操之益者少，非徒无益，又有害焉。教者发令，学者强应，身顺而心违，精神受无量之痛苦，精神苦而身亦苦矣。盖一体操之终，未有不貌瘁神伤者也。饮食不求洁，无机之物，微生之菌，入于体中，化为疾病。室内光线不足，则目力受害不小。桌椅长短不合，削趾适履，则躯干受亏。其余类此者尚多，不能尽也。

然则为吾侪学者之计如之何？学校之设备，教师之教训，乃外的客观的也，吾人盖尚有内的主观的。夫内断于心，百体从令，祸福无不自己求之者。我欲仁斯仁至，况于体育乎？苟自之不振，虽使外的客观的尽善尽美，亦犹之乎不能受益也。故讲体育必自自动始。

第四　体育之效

人者，动物也，则动尚矣。人者，有理性的动物也，则动必有道。然何贵乎此动邪？何贵乎此有道之动邪？动以营生也，此浅言之也；动以卫国也，此大言之也，皆非本义。动也者，盖养乎吾生，乐乎吾心而已。朱子主敬，陆子主静。静，静也；敬，非动也，亦静而已。老子曰无动为大，释氏务求寂静。静坐之法，为朱、陆之徒者咸尊之。近有因是子者，言静坐法，自诩其法之神，而鄙运动者之自损其体。是或一道，然予未敢效之也。愚拙之见，天地盖唯有动而已。

动之属于人类而有规则之可言者曰体育。前既言之，体育之效，则强筋骨也。愚昔尝闻，人之官骸肌络，及时而定，不复再可改易，大抵二十五岁以后，即一成无变。今乃知其不然。人之身盖日日变易者，新陈代谢之作用，不绝行于各部组织之间。目不明可以明，耳不聪可以聪。虽六七十之人，犹有改易官骸之效，事盖有必至者。又闻弱者难以转而为强，今亦知其非是。盖生而强者，滥用其强，不戒于种种嗜欲，以渐戕贼其身，自谓天生好身手，得此已足，尚待锻炼，故至强者或终转为至弱。至于弱者，则恒自悯其身之不全，而惧其生之不永，兢业自持。于消极方面，则深戒嗜欲，不敢使有损失；于积极方面，则勤自锻炼，增益其所不能，久之遂变而为强矣。故生而强者不必自喜也，生而弱者不必自悲也。吾生而弱乎，或者天之诱我以至于强，未可知也。东西著称之体育家，若美之罗斯福、德之孙棠、日本之嘉纳，皆以至弱之身，而得至强之效。又尝闻之，精神身体，不能并完。用思想之人，每歉于体。而体魄蛮健者，多缺于思。其说亦谬。此盖指薄志弱行之人，非所以概乎君子也。孔子七十二而死，未闻其身体不健。释迦往来传道，死年亦高。邪苏[②]不幸以冤死。至于摩诃末，左持经典，右执利剑，征压一世。此皆古之所谓圣人，而最大之思想家也。今之伍秩庸先生，七十有余岁矣，自谓可至百余岁，彼亦用思想之人也。王湘绮死年七十余，而康健矍铄。为是说者，其何以解邪？总之，勤体育则强筋骨，强筋骨则体质可变，弱可转强，身心可以并完。此盖非天命而全乎人力也。

　　非第强筋骨也，又足以增知识。近人有言曰：文明其精神，野蛮其体魄，此言是也。欲文明其精神，先自野蛮其体魄，苟野蛮其体魄矣，则文明之精神随之。夫知识之事，认识世间之事物而判断其理也。于此有须于体者焉，直观则赖乎耳目，思索则赖乎脑筋。耳目、脑筋之谓体，体全而知识之事以全。故可谓间接从体育以得知识。今世百科之学，无论学校独修，总须力能胜任。力能胜任者,体之强者也,不能胜任者,其弱者也。强弱分,而所任之区域以殊矣。

非第增知识也,又足以调感情。感情之于人,其力极大。古人以理性制之,故曰主人翁常惺惺否,又曰以理制心。然理性出于心,心存乎体。常观罢弱之人,往往为感情所役,而无力以自拔。五官不全及肢体有缺者,多困于一偏之情,而理性不足以救之。故身体健全,感情斯正,可谓不易之理。以例言之,吾人遇某种不快之事,受其刺激,心神震荡,难于制止。苟加以严急之运动,立可汰去陈旧之观念,而复使脑筋清明,效盖可立而待也。

非第调感情也,又足以强意志。体育之大效,盖尤在此矣。夫体育之主旨,武勇也。武勇之目,若猛烈,若不畏,若敢为,若耐久,皆意志之事。取例明之,如冷水浴足以练习猛烈与不畏,又足以练习敢为凡各种之运动,持续不改,皆有练习耐久之益,若长距离之赛跑,于耐久之练习尤著。夫力拔山气盖世,猛烈而已;不斩楼兰誓不还,不畏而已;化家为国,敢为而已;八年于外,三过其门而不入,耐久而已。要皆可于日常体育之小基之。意志也者,固人生事业之先驱也。

肢体纤小者举止轻浮,肤理缓弛者心意柔钝,身体之影响于心理也如是。体育之效,至于强筋骨,因而增知识,因而调感情,因而强意志。筋骨者吾人之身,知识、感情、意志者吾人之心,身心皆适,是谓俱泰。故夫体育非他,养乎吾生、乐乎吾心而已。

第五　不好运动之原因

运动为体育之最要者,今之学者多不好运动,其原因盖有四焉：一则无自觉心也。一事之见于行为也，必先动其喜为此事之情，尤必先有对于此事明白周详知其所以然之智。明白周详知所以然者，即自觉心也。人多不知运动对于自己有如何之关系，或知其大略，亦未至于亲切严密之度，无以发其智，因无以动其情。夫能研究各种科学孜孜不倦者，以其关系于己者切也，今日不为，他日将无以谋生。而运动则无此自觉，此其咎由于自己不能深省者半，而教师不知所以开之，亦占其半也。一则积习难返也。我国历来重文，羞齿短后，动有好汉不当兵之语。虽知运动当行之理，与各国运动致强之效，然旧观念之力尚强，其于新观念之运动，盖犹在迎拒参半之列。故不好运动，亦无怪其然。一则提倡不力也。此又有两种：其一，今之所称教育家，多不谙体育。自己不知体育，徒耳其名，亦从而体育之。所以出之也不诚，所以行之也无术，遂减学者研究之心。夫荡子而言自立，沉湎而言节饮，固无人信之矣。其次，教体操者多无学识，语言鄙俚，闻者塞耳。所知唯此一技，又未必精，日日相见者，唯此机械之动作而已。夫徒有形式而无精意以贯注之者，其事不可一日存。而今之体操实如是。一则学者以运动为可羞也。以愚所考察，此实为不运动之大原因矣。夫衣裳褴褴、行止于于、瞻视舒徐而夷犹者，美好之态，而社会之所尚也。忽而张臂露足，伸肢屈体，此何为者邪？宁非大可怪者邪？故有深知身体不可不运动，且甚思实行，竟不能实行者；有群行群止能运动，单独行动则不能者；有燕居私室能运动，稠人广众则不能者，一言蔽之，害羞之一念为之耳。四者皆不好运动之原因，第一与第四属于主观，改之在己。第二与第三属于客观，改之在人。君子求己，在人者听之可矣。

第六　运动之方法贵少

愚自伤(幼)体弱,因欲研究卫生之术,顾古人言者亦不少矣。近今学校有体操、坊间有书册,冥心务泛,终难得益。盖此事不重言谈,重在实行。苟能实行,得一道半法已足。曾文正行临睡洗脚、食后千步之法,得益不少。有老者年八十犹康健,问之,曰:吾唯不饱食耳。今之体操,诸法繁陈,更仆尽之,宁止数十百种。巢林止于一枝,饮河止于满腹。吾人唯此身耳,唯此官骸藏络耳,虽百其法,不外欲使血脉流通。夫法之致其效者一,一法之效然,百法之效亦然,则余之九十九法可废也。目不两视而明,耳不两听而聪,筋骨之锻炼而百其方法,是扰之也。欲其有效,未见其能有效矣。夫应诸方之用,与锻一己之身者不同。浪桥所以适于航海,持竿所以适于逾高,游戏宜乎小学,兵式宜乎中学以上,此应诸方之用者也。运动筋骸使血脉流通,此锻一己之身者也。应诸方之用者其法宜多,锻一己之身者其法宜少。近之学者,多误此意。故其失有二:一则好运动者,以多为善,几欲一人之身,百般俱备,其至无一益身者。一则不好运动者,见人之技艺多,吾所知者少,则绝弃之而不为。其宜多者不必善,务广而荒,又何贵乎?少者不必不善,虽一手一足之屈伸,苟以为常,亦有益焉。明乎此,而后体育始有进步可言矣。

第七　运动应注意之项

凡事皆宜有恒,运动亦然。有两人于此,其于运动也,一人时作时辍，一人到底不懈，则效不效必有分矣。运动而有恒，第一能生兴味。凡静者不能自动，必有所以动之者。动之无过于兴味。凡科学皆宜引起多方之兴味，而于运动尤然。人静处则甚逸，发动则甚劳。人恒好逸而恶劳，使无物焉以促之，则不足以移其势而变其好恶之心。而此兴味之起，由于日日运动不辍，最好于才起临睡行两次运动，裸体最善，次则薄衣，多衣甚碍事。日以为常，使此运动之观念，相连而不绝。今日之运动，承乎昨日之运动，而又引起明日之运动。每次不必久，三十分钟已足。如此自生一种之兴味焉。第二能生快乐。运动既久，成效大著，发生自己价值之念。以之为学，则胜任愉快；以之修德，则日起有功。心中无限快乐，亦缘有恒而得也。快乐与兴味有辨：兴味者运动之始，快乐者运动之终；兴味生于进行，快乐生于结果，二者自异。

有恒矣，而不用心，亦难有效。走马观花，虽日日观，犹无观也。心在鸿鹄，虽与俱学，勿若之矣。故运动有注全力之道焉。运动之时，心在运动，闲思杂虑，一切摒去。运心于血脉如何流通，筋肉如何张弛，关节如何反复，呼吸如何出入。而运作按节，屈伸进退，皆一一踏实。朱子论主一无适，谓吃饭则想着吃饭，穿衣则想着穿衣，注全力于运动之时者，亦若是则已耳。

文明柔顺，君子之容。虽然，非所以语于运动也。运动宜蛮拙，骑突枪鸣，十荡十决，喑呜颓山岳，叱咤变风云，力拔项王之山，勇贯由基之札。其道盖存乎蛮拙，而无与于纤巧之事。运动之进取宜蛮，蛮则气力雄，筋骨劲。运动之方法宜拙，拙则资守实，练习易，二者在初行运动之人为尤要。

运动所宜注意者三：有恒一也，注全力二也，蛮拙三也。他所当注意者尚多，举其要者如此。

第八　运动一得之商榷

愚既粗涉各种运动，以其皆系外铄而无当于一己之心得。乃提挈各种运动之长，自成一种运动。得此运动之益，颇为不少。凡分六段，手部也，足部也，躯干部也，头部也，打击运动也，调和运动也。段之中有节，凡二十有七节。以其为六段，因名之曰六段运动，兹述于后。世之君子，幸教正焉。

一、手部运动，坐势：

1. 握拳向前屈伸，左右参，三次（左右参者，左动右息，右动左息，相参互也）；

2. 握拳屈肘，前侧后半圆形运动，左右参，三次；

3. 握拳向前面下方屈伸，右左并，三次（左右并者，并动不相参互）；

4. 手仰向外拿，左右参，三次；

5. 手复向外拿，左右参，三次；

6. 伸指屈肘前刺，左右参，三次。

二、足部运动，坐势：

1. 手握拳左右垂，足就原位，一前屈，一后斜伸，左右参，三次；

2. 手握拳前平，足一侧伸，一前屈，伸者可易位，屈者唯趾立。臀跟相接，左右参，三次；

3. 手握拳左右垂，足一支一揭，左右参，三次；

4. 手握拳左右垂，足一支一前踢，左右参，三次；

5. 手握拳左右垂，足一前屈，一后伸。屈者在原位，伸者易位，两足略在直线上。左右参，三次；

6. 手释拳,全身一起一蹲,蹲时臀跟略接,三次。

三、躯干部运动,立势:

1. 身向前后屈,三次(手握拳,下同);

2. 手一上伸,一下垂,绷张左右胸肋,左右各一次;

3. 手一侧垂,一前斜垂,绷张左右背肋,左右各一次;

4. 足丁字势,手左右横荡,扭揿腰胁,左右各一次。

四、头部运动,坐势:

1. 头前后屈,三次;

2. 头左右转,三次;

3. 用手按摩额部、颊部、鼻部、唇部、喉部、耳部、后颈部;

4. 自由运动,头大体位置不动,用意使皮肤及下颚运动,五次。

五、打击运动,不定势(打击运动者,以拳遍击身体各处,使血液奔注,筋肉坚实,为此运动之主):

1. 手部,右手击左手,左手击右手;

(1) 前膊,上面、下面、左面、右面;

(2) 后膊,上面、下面、左面、右面。

2. 肩部;

3. 胸部;

4. 胁部;

5. 背部;

6. 腹部;

7. 臀部;

8. 腿部,上腿、下腿。

六、调和运动,不定势:

1. 跳舞,十余次;

2. 深呼吸,三次。

①即毛泽东。②今译为耶稣。下同。

(第三卷第二号,一九一七年四月一日)

近代西洋教育

——在天津南开学校演讲

陈独秀

今日之中国,各种事业败坏已极。承贵校诸君招来演说,鄙人心中想说的话极多,但是从何处说起呢?诸君毕业后,或当教习,或别入他校求学,大约不离教育界。现在就着教育事业,略说一二。

吾人提起"教育"二字,往往心中发生二种疑问:第一是吾人何以必须教育?第二是教育何以必须取法西洋?

第一种疑问,就是西洋也有一派学者,主张人之善恶智愚乃天性生成,教育无效的。但是此种偏见,多数学者均不承认。以为人之善恶智愚,生来本性的力量诚然不小,后来教育的力量又何尝全然无效?譬如,木材的好丑和用处大小虽然是生来不同,但必经工匠的斧斤雕凿,良材方成栋梁和美术的器具。就是粗恶材料,也有相当的用处。教育的作用亦复如此。未受教育的人,好像生材,已受教育的人,好像做成的器具。人类美点,可由教育完全发展;人类的恶点,也可由教育略为减少。请看世界万国,那教育发达的和那教育不发达的人民,智愚贤否迥然不同,这就是吾人必须教育的铁证了。

　　第二种疑问，乃是中国人普通见解，以为西洋各国不过此时国富兵强，至于文物制度、学问思想，未免事事都比中国优胜。简单说起来，就是不信服西洋文明驾乎中国之上，所以不信服中国教育必须取法欧美。方才贵校校长张先生说："此时西洋各国学术思想潮流居世界之大部分，吾国不过居一小部分。只合一小部分随从大部分，不能够强教大部分随从一小部分。所以我们中国必须舍旧维新。"鄙人觉得张校长这话，犹是对那没有知识比较中西文明优劣的人说法。其实吾国文明若果在西洋之上，西洋各国部分虽大，吾人亦不肯盲从，舍长取短。正因西洋文明远在中国之上，就是中国居世界之大部分，西洋各国居世界之最小一部分，这大部分的人也应当取法这一小部分。所以鄙人之意，我们中国教育必须取法西洋的缘故，不是势力的大小问题，正是道理的是非问题。秋桐先生方才说道："西洋种种的文明制度，都非中国所及。单就经济能力而言，我们中国人此时万万赶不上。倘不急起直追，真是无法可以救亡。"鄙人以为秋桐先生此言，可谓探本之论。

　　吾人的教育既然必须取法西洋，吾人就应该晓得近代西洋教育的真相、真精神是什么，然后所办的教育才真是教育，不是科举，才真是西洋教育，不是中国教育。不然，像我们中国模仿西法创办学校已经数十年，而成效毫无。学校处数固属过少，不能普及。就是已成的学校，所教的无非是中国腐旧的经史文学，就是死读几本外国文和理科教科书，也是去近代西洋教育真相、真精神尚远。此等教育，有不如无。因为教的人和受教的人都不懂得教育是什么，不过把学校毕业当做出身地步，这和从前科举有何分别呢？所以我希望我们中国大兴教育，同时我又希望我们中国教育家，要明白读几本历史洋文，学一点理化博物，算不得是真正的近代西洋教育。我们教育若想取法西洋，要晓得真正的近代西洋教育有几种大方针：

第一，是自动的而非被动的，是启发的而非灌输的。我国教育和西洋古代教育，多半是用被动主义、灌输主义，一心只要学生读书万卷，做大学者。古人的著书，先生的教训，都是神圣不可非议。照此依样葫芦，便是成功的妙诀。所谓儿童心理，所谓人类性灵，一概抹杀，无人理会。至于西洋近代教育，则大不相同了。自幼稚园以至大学，无一不取启发的教授法，处处体贴学生心理作用，用种种方法启发他的性灵，养成他的自动能力，好叫人类固有的智能，得以自由发展。不像那被动主义、灌输主义的教育，不顾学生的心理状态，只管拼命教去。教出来的人物，好像人做的模型，能言的鹦鹉一般，依人作解，自家绝没有真实见地、自动能力。此时意大利国蒙得梭利(Maria Montessori)女士的教授法轰动了全世界。她的教授法是怎样呢？就是主张极端的自动启发主义。用种种游戏法，启发儿童的性灵，养成儿童的自动能力。教师立于旁观地位，除恶劣害人的事以外，无不一任儿童完全的自动自由。此种教授法现在已经通行欧美各国。而我们中国的教育还是守着从前被动的、灌输的老法子。教师盲教，学生盲从。启发儿童的游戏图画等功课，毫不注意。拼命地读那和学生毫无关系的历史（小学生绝不懂得自己与历史有什么关系），毫无用处的外国文，以为这就是取法西洋的新教育了。哈哈，实在是坑死人也！

第二，是世俗的而非神圣的，是直观的而非幻想的。孔特分人类进化为三时代：第一曰宗教迷信时代，第二曰玄学幻想时代，第三曰科学实证时代。欧洲的文化，自十八世纪起，渐渐地从第二时代进步到第三时代。一切政治、道德、教育、文学，无一不含着科学实证的精神。近来一元哲学、自然文学日渐发达。一切宗教的迷信，虚幻的理想，更是抛在九霄云外。所以欧美各国教育，都注重职业。所教功课，无非是日常生活的知识和技能。此时学校教育以外，又盛兴童子军（Boy Scout）的教育，一切煮饭、烧菜、洗衣、缝衣、救火、救溺、驾车、驶船等事，无一不实地练习。不像东方人连吃饭、穿衣、走路的知识本领也没有，专门天天想做大学者、大书箱、大圣贤、大仙、大佛。西洋教育所重的是世俗日用的知识，东方教育所重的是神圣无用的幻想；西洋学者重在直观自然界的现象，东方学者重在记忆先贤先圣的遗文。我们中国教育，若真要取法西洋，应该弃神而重人，弃神圣的经典与幻想，而重自然科学的知识和日常生活的技能。

　　第三，是全身的而非单独脑部的。谭嗣同有言曰："观中国人之体貌，亦有劫象焉。试以拟之西人，则见其委靡，见其猥鄙，见其粗俗，见其野悍，或瘠而黄，或肥而弛，或萎而伛偻。其光明秀伟有威仪者，千万不得一二！"这是什么缘故呢？就是中国教育大部分重在后脑的记忆，小部分重在前脑的思索。训练全身的教育，从来不大讲究。所以未受教育的人，身体还壮实一点。唯有那班书酸子，一天只知道咿咿唔唔、摇头摆脑地读书，走到人前，痴痴呆呆地歪着头，弓着背，勾着腰，斜着肩膀，面孔又黄又瘦，耳目手脚，无一件灵动中用。这种人虽有手脚耳目，却和那跛聋盲哑残废无用的人好得多少呢？西洋教育，全身皆有训练，不单独注重脑部。既有体操发展全身的力量，又有图画和各种游戏，练习耳目手脚的活动能力。所以他们无论男女老幼，做起事来，走起路来，莫不精神夺人，仪表堂堂。教他们眼里如何能看得起我们可厌的中国人呢？

中国教育，不合西洋近代教育的地方甚多。以上三样，乃是最重要的。诸君毕业后，或教育他人，或是自己教育自己，请在这三样上十分注意。

(第三卷第五号，一九一七年七月一日)

以美育代宗教说

——在北京神州学会演讲

蔡孑民

兄弟于学问界未曾为系统的研究,在学会中本无可以表示之意见。唯既承学会诸君子责以讲演,则以无可如何中,择一于我国有研究价值之问题为到会诸君一言,即以美育代宗教之说是也。

夫宗教之为物,在彼欧西各国已为过去问题。盖宗教之内容,现皆经学者以科学的研究解决之矣。吾人游历欧洲,虽见教堂棋布,一般人民亦多入堂礼拜,此则一种历史上之习惯。譬如前清时代之袍褂,在民国本不适用,然因其存积甚多,毁之可惜,则定为乙种礼服而沿用之,未尝不可。又如祝寿、会葬之仪,在学理上了无价值,然戚友中既以请帖、讣闻相招,势不能不循例参加,借通情愫。欧人之沿习宗教仪式,亦犹是耳。所可怪者,我中国既无欧人此种特别之习惯,乃以彼邦过去之事实作为新知,竟有多人提出讨论。此则由于留学外国之学生,见彼国社会之进化,而误听教士之言,一切归功于宗教,遂欲以基督教劝导国人。而一部分之沿习旧思想者,则承前说而稍变之,以孔子为我之基督,遂欲组织孔教,奔走呼号,视为今日重要问题。自兄弟观之,宗教之原始,不外因吾人精神之作用而构成。

吾人精神上之作用，普通分为三种：一曰知识；二曰意志；三曰感情。最早之宗教，常兼此三作用而有之。盖以吾人当未开化时代，脑力简单，视吾人一身与世界万物，均为一种不可思议之事。生自何来，死将何往，创造之者何人，管理之者何术？凡此种种，皆当时之人所提出之问题，以求解答者也。于是有宗教家勉强解答之，如基督教推本于上帝，印度旧教则归之梵天，我国神话则归之盘古。其他各种现象，亦皆以神道为唯一之理由。此知识作用之附丽于宗教者也。且吾人生而有生存之欲望，由此欲望而发生一种利己之心。其初以为非损人不能利己，故恃强凌弱，掠夺攫取之事，所在多有。其后经验稍多，知利人之不可少，于是有宗教家提倡利他主义。此意志作用之附丽于宗教者也。又如跳舞、唱歌，虽野蛮人亦皆乐此不疲。而对于居室、雕刻、图画等事，虽石器时代之遗迹，皆足以考见其爱美之思想。此皆人情之常，而宗教家利用之以为诱人信仰之方法。于是未开化人之美术，无一不与宗教相关联。此又情感作用之附丽于宗教者也。天演之例，由浑而画。当时精神作用至为浑沌，遂结合而为宗教。又并无他种学术与之对，故宗教在社会上遂具有特别之势力焉。迨后社会文化日渐进步，科学发达，学者遂举古人所谓不可思议者，皆一一解释之以科学。日星之现象、地球之缘起、动植物之分布、人种之差别，皆得以理化、博物、人种、古物诸科学证明之。而宗教家所谓吾人为上帝所创造者，从生物进化论观之，吾人最初之始祖，实为一种极小之动物，后始日渐进化为人耳。此知识作用离宗教而独立之证也。宗教家对于人群之规则，以为神之所定，可以永远不变。然希腊诡辩家，因巡游各地之故，知各民族之所谓道德，往往互相抵触，已怀疑于一成不变之原则。近世学者据生理学、心理学、社会学之公例，以应用于伦理，则知具体之道德不能不随时随地而变迁。而道德之原理，则可由种种不同之具体者而归纳以得之。而宗教家之演绎法，全不适用。此意志作用离宗教而独立之证也。知识、意志两作用，既皆脱离宗教以外，于是宗教所最有密切关系者，唯有情感作用，即所谓美感。凡宗教之建筑，多择山水最胜之处，吾国人所谓天下名山僧占多，即其例也。其间恒有古木名花，传播于诗人之笔，是皆利用自然之美以感人者。其建筑也，恒有峻秀之塔，崇闳幽邃之殿堂，饰以精致之造像，瑰丽之壁画，构成黯淡之光线，佐以微妙之音乐。赞美者必有著名之歌词，演说者必有雄辩之素养。凡此种种，皆为美术作用，故能引人入胜。苟举以上种种设施而摒弃之，恐无能为役矣。

然而美术之进化史，实亦有脱离宗教之趋势。例如吾国南北朝著名之建筑，则伽蓝耳，其雕刻，则造像耳，图画，则佛像及地狱变相之属为多。文学之一部分，亦与佛教为缘。而唐以后诗文，遂多以风景人情世事为对象。宋元以后之图画，多写山水花鸟等自然之美。周以前之鼎彝，皆用诸祭祀。汉唐之吉金，宋元以来之名瓷，则专供把玩。野蛮时代之跳舞，专以娱神，而今则以之自娱。欧洲中古时代留遗之建筑，其最著者率为教堂，其雕刻图画之资料，多取诸新、旧约，其音乐，则附丽于赞美歌，其演剧，亦排演耶稣故事，与我国旧剧《目莲救母》相类。及文艺复兴以后，各种美术渐离宗教而尚人文。至于今日，宏丽之建筑，多为学校、剧院、博物院。而新设之教堂，有美学上价值者，几无可指数。其他美术，亦多取资于自然现象及社会状态。于是以美育论，已有与宗教分合之两派。以此两派相较，美育之附丽于宗教者，常受宗教之累，失其陶养之作用，而转以激刺感情。

盖无论何等宗教，无不有扩张己教、攻击异教之条件。回教之谟罕默德，左手持《可兰经》，而右手持剑，不从其教者杀之。基督教与回教冲突，而有十字军之战几及百年。基督教中又有新、旧教之战，亦亘数十年之久。至佛教之圆通，非他教所能及。而学佛者苟有拘牵教义之成见，则崇拜舍利受持经忏之陋习，虽通人亦肯为之。甚至为护法起见，不惜于共和时代，附和帝制。宗教之为累，一至于此，皆激刺感情之作用为之也。鉴激刺感情之弊，而专尚陶养感情之术，则莫如舍宗教而易以纯粹之美育。纯粹之美育，所以陶养吾人之感情，使有高尚纯洁之习惯，而使人我之见、利己损人之思念，以渐消沮者也。盖以美为普遍性，决无人我差别之见能参入其中。食物之入我口者，不能兼果他人之腹；衣服之在我身者，不能兼供他人之温，以其非普遍性也。美则不然。即如北京左近之西山，我游之，人亦游之。我无损于人，人亦无损于我也。隔千里兮共明月，我与人均不得而私之。中央公园之花石，农事试验场之水木，人人得而赏之。埃及之金字塔、希腊之神祠、罗马之剧场，瞻望赏叹者若干人，且历若干年，而价值如故。各国之博物院，无不公开者，即私人收藏之珍品，亦时供同志之赏览。各地方之音乐会、演剧场，均以容多数人为快。所谓独乐乐不如众乐乐，与寡乐乐不如与众乐乐。以齐宣王之惛，尚能承认之，美之为普遍性，可知矣。且美之批评，虽间亦因人而异，然不曰是于我为美，而曰是为美，是亦以普遍性为标准之一证也。

美以普遍性之故，不复有人我之关系，遂亦不能有利害之关系。马、牛，人之所利用者。而戴嵩所画之牛、韩干所画之马，决无对之而作服乘之想者。狮、虎，人之所畏也。而芦沟桥之石狮、神虎桥之石虎，决无对之而生搏噬之恐者。植物之花，所以成实也。而吾人赏花，决非作果实可食之想。善歌之鸟，恒非食品。灿烂之蛇，多含毒液。而以审美之观念对之，其价值自若。美色，人之所好也，对希腊之裸像，决不敢作龙阳之想。对拉飞尔若鲁滨司之裸体画，决不致有周昉秘戏图之想。盖美之超绝实际也如是。且于普通之美以外，就特别之美而观察之，则其义益显。例如崇闳之美，有至大至刚两种。至大者，如吾人在大海中，唯见天水相连，茫无涯涘。又如夜中仰数恒星，知一星为一世界，而不能得其止境，顿觉吾身之小虽微尘不足以喻，而不知何者为所有。其至刚者，如疾风震霆，覆舟倾屋，洪水横流，火山喷薄，虽拔山盖世之气力，亦无所施，而不知何者为好胜。夫所谓大也、刚也，皆对待之名也。今既自以为无大之可言，无刚之可恃，则且忽然超出乎对待之境，而与前所谓至大至刚者肸合而为一体，其愉快遂无限量。当斯时也，又岂尚有利害得丧之见能参入其间耶！其他美育中，如悲剧之美，以其能破除吾人贪恋幸福之思想。《小雅》之怨悱，屈子之离忧，均能特别感人。《西厢记》若终于崔、张团圆，则平淡无奇，唯如原本之终于草桥一梦，始足发人深省。《石头记》若如《红楼后梦》等，必使宝黛成婚，则此书可以不作。原本之所以动人者，正以宝黛之结果一死一亡，与吾人之所谓幸福全然相反也。又如滑稽之美，以不与事实相应为条件。如人物之状态，各部分互有比例。而滑稽画中之人物，则故使一部分特别长大或特别短小。作诗则故为不谐之声调，用字则取资于同音异义者。方朔割肉以遗细君，不自责而反自夸。优旃谏漆城，不言其无益，而反谓漆城荡荡，寇来不得上。皆与实际不相容，故令人失笑耳。要之，美学之中，其大别为都丽之美、崇闳之美（日本人译言优美、壮美）。而附丽于崇闳之悲剧，附丽于都丽之滑稽，皆足以破人我之见，去利害得失之计较，则其所以陶养性灵，使之日进于高尚者，固已足矣。又何取乎侈言阴骘，攻击异派之宗教，以激刺人心，而使之渐丧其纯粹之美感为耶。

(第三卷第六号，一九一七年八月一日)

大学改制之事实及理由

北京大学

大学改制之议发端于本年一月二十七日之国立高等学校校务讨论会,其时由北京大学蔡校长提出议案。其文如下:

窃查欧洲各国高等教育之编制,以德意志为最善。其法科、医科既设于大学,故高等学校中无之;理工科、商科、农科既有高等专门学校,则不复为大学之一科;而专门学校之毕业生更为学理之研究者,所得学位与大学毕业生同。普通之大学学生会常和高等学校之生徒而组织之,是德之高等专门学校实际增设之分科大学,特不欲破大学四科之旧例,故别立一名而已。我国高等教育之制规仿日本,既设法、医、农、工、商各科于大学,而又别设此诸科之高等专门学校。虽程度稍别浅深,而科目无多差别,同时并立,义近骈赘。且两种学校之毕业生服务社会,恒有互相龃龉之点。殷鉴不远,即在日本。特我国此制行之未久,其弊尚未著耳,及今改图,尚无何等困难。爰参合现行之大学及高等专门学校制而改编大学制如下:

(一)大学专设文理二科,其法、医、农、工、商五科别为独立之大学,其名为法科大学、医科大学等。

其理由有二:文理二科专属学理,其他各科偏重致用一也。文理二科有研究所、实验室、图书馆、植物园、动物院等种种之设备，合为一区，已非容易，若遍设各科而又加以医科之病院、工科之工厂、农科之试验场等，则范围过大，不能各择适宜之地点一也。

（二）大学均分为三级：（一）预科一年，（二）本科三年，（三）研究科二年，凡六年。

上案经北京高等师范学校陈校长、北京法政专门学校吴校长、北京医学专门学校汤校长、北京农业专门学校路校长、北京工业专门学校洪校长一致赞同，即于同月三十日由各校长公呈教育部请核准。二月二十三日，教育部开会议，列席者，总次长参事、专门司司长、北洋大学校长及具呈各校长。第一条无异议，于第二条则多。以预科一年之期为太短，又有以研究科之名为不必设者，乃再付校务讨论会复议。二月五日，校务讨论会开会。议决大学均分为二级，预科二年，本科四年，凡六年。复以三月五日在教育部会议一次，无异议。乃由教育部于三月十四日发指令曰"改编大学制年限办法，经本部迭次开会讨论，应定为预科二年、本科四年"云云。此改制案成立之历史也。

依上案，则农、工、医等专门学校均当为改组大学之准备。而设备既需经费，教员尚待养成，非再历数年不能进行。而北京大学则适有改革之机会，于是由评议会议决定而实行者如下：

（一）文理两科之扩张　　大学号有五科，而每科所设少者或止一门，至多者亦不过三门。欲以有限之经费博多科之体面，其流弊必至如此。今既以文理为主要，则自然以扩张此两科，使渐臻完备为第一义。然为经费所限，暑假后仅能每科增设一门，即史学门及地质学门是也。

（二）法科独立之预备　　北京大学各科以法科为较完备，学生人数亦最多,具有独立的法科大学之资格。唯现在尚为新旧章并行之时,独立之预算案尚未有机会可以提出,故暂从缓议。唯于暑假后先移设于预科校舍,以为独立之试验。

（三）商科之归并　商科依部令,宜设银行、保险等专门,而北京大学现有之商科则不设专门,而授普通商业,实不足以副商科之名,而又无扩张之经费。故于五月十五日呈请教育部,略谓"本校自本学年始设商科,因经费不敷,不能按部定规程,分设银行学、保险学等门,而讲授普通商业学颇有名实不副之失。现值各科改组之期,拟仿美、日等国大学法科兼设商业学之例,即以现有商科改为商业学而隶于法科。俟钧部筹有的款,创立商科大学时,再将法科之商业学门定期截止"云云。旋于二十三日奉教育部指令曰"该校请将现有商科改为商业学门隶于法科一节尚属可行,应即照准"云云。

（四）工科之截止　北京大学之工科仅设土木工门及采矿冶金门,北洋大学亦国立大学也,设在天津,去北京甚近,其工科所设之门与北京大学同,且皆用英语教授,设备仪器,延聘教员彼此复重,而受教之学生,合两校之工科计之不及千人,纳之一校,犹病其寡,徒縻国家之款以为增设他门之障碍而已。故与教育部及北洋大学商议,以本校预科毕业生之愿入工科者,送入北洋大学,而本校则俟已有之工科两班毕业后即停办工科（其北洋大学之法科亦以毕业之预科生送入本校法科,俟其原有之法科生毕业后即停办法科,而以其费,供扩张工科之用）。

（五）预科之改革　大学预科由旧制之高等学堂嬗蜕而来,所以停办高等学堂而于大学中自设预科者,因各省所立高等学堂程度不齐,咨送大学后,生种种困难也。不意以五年来经验,预科一部、二部等编制及年限亦尚未尽善。举一部为例,既兼为文、法、商三科预备，于是文科所必须预备，而为法、商科所不必涉者，或法、商科所必须预备，而为文科所不必涉者。不得不一切课之多费学生之时间及心力于非要之课，而重要之课反为所妨。此一弊也。预科既不直隶各科，含有半独立性质，一切课程并不与本科衔接，而与本科竞胜。取本科第一年应授之课而于预科之第三年授之，使学生入本科后以第一年之课程为无聊，遂挫折其对于学问上之兴趣。且以六年之久，而所受之课实不过五年有奇，宁不可惜。此二弊也。此亦促进大学改制之一原因。改制以后，预科既减为二年，而又分隶于各科，则前举二弊可去。或有以外国语程度太低为言者，不知新章预科止用一种外国语，即中学所已习者。习外国语积六年之久而尚不能读参考书，有是理乎？

　　大学改制有种种不得已之原因，如上所述。唯未经宣布又新旧两章同时并行易滋回惑，故外间颇多误会。如前数日，《北京日报》之法律、冶金并入北洋大学之说，其实毫无影响。又八月三日、四日之《晨钟报》揭载余以智君之《北京大学改制商榷》，其对于本校之热诚深可感佩，唯所举事实均有传闻之误。即如引蔡元培氏之言谓"文科一科可以包法、商等科而言也，理科一科可以包医、工等科而言也"。询之蔡君，并不如是。蔡君不过谓法、商各科之学理必原于文科，医、农、工各科之学理必原于理科耳。若如余君所引之言，则蔡君第主张设文、理二科足矣，何必再为法、医、农、工、商各为独立大学之提议乎？其他类此者尚多，故述大学改制之事实及理由以告研究大学制者，如承据此等正确之事实而加以针砭，则固本校同人之所欢迎也。

八月五日　北京大学　启

（第三卷第六号，一九一七年八月一日）

新教育与旧教育之歧点

——在天津中华书局"直隶全省小学会议欢迎会"演说

蔡元培

今日承京津中华书局代表之招,得与诸先生晤言一堂,不胜荣幸。中华书局,为供给教育资料之机关。诸君子皆有实施教育之职务。今日所相与讨论者,自然为教育问题。鄙人于小学教育,既未有经验,又于直隶省教育情形,未有所考察,不能为切实之贡献。谨以平日对于教育界之普通感想,质之于诸先生。

夫新教育所以异于旧教育者,有一要点焉,即教育者,非以吾人教育儿童而吾人受教于儿童之谓也。吾国之旧教育,以养成科名仕宦之材为目的。科名仕宦,必经考试,考试必有诗文。欲作诗文,必不可不识古字,读古书,记古代琐事;于是先之以《千字文》《神童诗》《龙文鞭影》《幼学须知》等书,进之以四书五经,又次则学为八股文、五言八韵诗,其他若自然现象、社会状况,虽为儿童所亟欲了解者,均不得阑入教科,以其于应试无关也。是教者预定一目的,而强受教者以就之。故不问其性质之动静,资禀之锐钝,而教之止有一法,能者奖之,不能者罚之,如吾人之处置无机物然,石之凸者平之,铁之脆者煅之;如花匠编松柏为鹤鹿焉;如技者教狗马以舞蹈焉;如凶汉之割折幼童,而使为奇形怪状焉。追想及之,令人不寒而栗。新教育则否，在深知儿童身心发达之程序，而择种种适当之方法以助之，如农学家之于植物焉，干则灌溉之，弱则支持之，畏寒则置之温室，需食则资以肥料，好光则覆以有色之玻璃。其间种类之别，多寡之量，皆几经实验之结果而后选定之，且随时试验，随时改良，决不敢挟成见以从事焉。故治新教育者，必以实验教育学为根柢。实验教育学者，欧美最新之科学，自实验心理学出，而尤与实验儿童心理学相关。其所试验者，曰感觉之阈，曰感觉之分别界，曰空间与时间之表象，曰反射，曰判断，曰注意力，曰同化作用，曰联想，曰意志之阅历，曰统觉，凡一切心理上之现象皆具焉。其试验之也，或以仪器，或以图画，或以言语，或以文字。其所为比较者，或以年龄，或以男女之别，或以外界一切之关系，或以祖先之遗传性，因而得种种普通之例，亦即因而得种种差别之点。虽今日尚未达完全之域，然研究所得，视昔之纯凭臆测者，已较有把握矣。

因而知教育者，与其守成法，毋宁尚自然；与其求化一，毋宁展个性。请举新教育之合于此主义者数端：一曰托尔斯泰（Tolstoy）之自由学校。其建设也，尚在实验教育学未起以前，乃本卢梭、裴斯泰洛齐、弗罗贝尔等之自然主义而推演之者。其学生无一定之位置，或坐于凳，或登于桌，或伏于窗槛，或踞于地板，唯其所欲。其课程亦无定时，唯学生之愿，常以种种对象间厕而行之。其教授之形式，唯有问答。闻近年比利时亦有此种学校，鄙人欲索其章程，适欧战起，比为德所据，不可得矣。二曰杜威（Dewey）之实用主义。杜威尝著《学校与普通生活》一书，力言学校教科与社会隔绝之害。附设一学校于芝加角大学，即以人类所需之衣、食、住三者为工事标准，略分三部：一曰手工，如木工金工之类；二曰烹饪；三曰缝织，而描画、模型等皆属之。即由此而授以学理，如因烹饪授以化学，因裁缝而授以数学，因手工而授以物理学、博物学，因原料所自出而授以地学，因各时代、各民族工艺若服食之不同而授以历史学、人类学等是也。三曰蒙台梭利之儿童室，即特设各种器具以启发儿童之心理作用者是也。吾国已有译本，想诸君已见之。四曰某氏之以工作为操练说。此说不忆为何人所创，大约以能力说为基础。能力者，西文所谓 Energy 也，近世自然哲学，以世界一切现象，不外乎能力之转移，如燃煤生热，热能蒸水成汽，汽能运机，机能制器，即一种能力之由煤而热、而汽、而机、而器，递相转移也。唯能力之转移，有经济与不经济之别，如水力可以运机发电，而我国海潮、瀑布之属皆置而不用，是即不经济之一端也。近世教育，如手工、图画等科，一方面为自力手力之操练，而一方面即有成绩品，此能力转移之经济者也。其他各种运动，大率止有操练，并无出品，则为不经济之转移。若合个人生理及社会需要两方面而研究之，设为种种手力足力之工作，以代拍球蹴球之戏，设为种种运输之工作，以利用竞走竞漕之役，则悉于体育之中，养成勤务之习惯，而一切过激之动作，凌人之虚荣心，亦可以免矣。其他类是之新说，为鄙人所未知者，尚不知凡几，亦足以见现代教育界之进步矣。吾国教育界，乃尚牢守几本教科书，以强迫全班之学生，其实与往日之《三字经》、四书五经等，不过五十步与百步之相差。欲救其弊，第一，须设实验教育之研究所；第二，教员须有充分之知识，足以应儿童之请益与模范而不匮；第三，则供给教育品者，亦当有种种参考之图画与仪器，以供教员之取资。如此，则始足语于新教育矣。

（第五卷第一号，一九一八年七月十五日）

德国分科中学之说明

蔡元培

近日北京大学方鉴于文理分科之流弊,提出"文理合并"之议;而中学教育界乃盛传"文实分科"之说,异哉!原中学文实分科说之由来:

(1)由国文教员嫌国文教授时间之不足,而欲减数学,若自然科学之时间以补之;

(2)由数学教员嫌数学教授时间之不足,而欲减国文,若历史、地理之时间以足之。

为调和两者计,乃有文实分科之说,在清季已试行之。其制有数种流弊:

(1)各省竞设文科中学,而实科至少,以实科之设备,较普通中学需费更巨;其教员,亦非现在高等师范之毕业生所能任。至于文科,则设备之费更简;而科举时代之文人皆可为教员也。

(2)既少实科中学,则专门以上学校之属于文、法、商诸科者,虽不患无可招之生,而理、医、工、农诸科,则合格之生甚少。

(3)文、法、商诸科所招之中学毕业生,科学知识太缺乏,仍为变相的举子,而不适于科学万能之新时代。

故民国元年,教育部取消文实分科之制,而定现行之中学制。

德国分科中学之说明

在现行中学制所需改革之点固多，而绝无恢复文实分科之理。说者动引德国文实分科制以为凭借。不知德之中学，本只文科，其后因时势之需要，而增设实科。未几，又有文实合科之制。后者已出，而前者未被淘汰，且因一部分人之尽力，前者亦次第改良，有以适应乎时势，故亦随教育之进步而稍有增设，遂使三者得并存于教育界。初非建设之初即规定有此三种也。今先述三种中学教科差别之大略及建设时期，如下：

		文科	实科	文实科	新式	
教科	第六级	拉丁开始	无希腊、拉丁而注重于法语、英语、数学、自然科学及图绘	无希腊文。注重拉丁文，如文科；注重法语、英语、数学、自然科学，如实科	唯有一种近世外国语（如法国语之类）	
	第五级					
	第四级	法语始				
	第三级下	希腊开始			实科无拉丁、希腊	文科有拉丁及希腊
	第三级上					文实科有拉丁无希腊
	第二级下					
	第二级上	英语始				
	第一级下					
	第一级上					
		其他历史、地理、国语、数学、宗教、自然科学、图绘、体操、唱歌	余同上	余同上	余同上	
创始时代		中古时代	一八六〇年	未详，稍后于实科	最近	
校数增加率	一八九五年	四三九	一九八	一二八	未详	
	一九〇三年	四六八	二六五	一二二	未详	

方实科及文实科中学之初设也，其毕业生之资格不能与文科等。文科毕业生，得于大学之神学、哲学、医学、法学四科自由选择；而其他两校毕业生，仅得进哲学科之近世外国语、数学及自然科学等门。及其毕业于大学也，文科出身者，得任各种官吏；而其他两校出身者，以下级官吏为限。文科出身者，得任各种教员；而其他两校出身者，以中学校中一部分之教员为限。及一八九八及（一八）九九年，教育会议之结果，而资格遂以平等。唯非文科毕业生欲入神学、法学两科，须受希腊文或拉丁文之特别试验而已。在实科诸生，以先习近世外国语之故，补习古代语，进步甚速。故佛郎福脱（Frankfort）之新式中学，遂规定先习近世外国语，而于第四年始习古代语。行之卓有成效，而其他都会仿行之，尚名为佛郎福脱式也。

由是观之，德国之中学制，由文科而趋于实科，乃有折中之文实科；由分而合，初不足为由合而分者之凭借也。

且欧式中学，年限较长，含有高等普通及高等预备之两种作用，故佛郎福脱式及法国式皆始合而后分。我国既采日本制，于大学及高等专门学校皆有预科（日本之高等学校，即大学预科），中学年限较短，而偏重高等普通一作用。若分中学为两科，是破坏普通教育之原则矣。今并表法国中学制于下，以备参考。

德国分科中学之说明

小学	四年，为第十至第七级						
中学	甲种				乙种			
第六级 第五级	有拉丁或希腊				无拉丁有两种近世外国语			
第四级 第三级					自是年起，国语及科学加重			
第二级 第一级	（子） 拉丁希腊		（丑） 拉丁及近世外国语		（寅） 拉丁及较完备的科学		（卯） 近世外国语及较完备的科学	
哲学数学级	（天） 哲学	（地） 数学	（玄） 哲学	（黄） 数学	（宇） 哲学	（宙） 数学	（洪） 哲学	（荒） 数学

（第五卷第五号，一九一八年十月十五日）

论吾国父母之专横

张耀翔

世上有一等人，论其尊严，则神圣不可侵犯；论其威权，其恒越乎法律范围以外。仗古人之妄言，陷人民于奴隶；填一己之欲壑，误苍生于无尽。革命家所不能推倒，社会党所不能剂平。其凶恶较诸罗马教皇、专制魔王，有过之无不及；特其辖境较后二者为窄耳。噫！此何等人？吾国为父母者是也。

父母之辖境限有家庭，子女即其属民也。父母得任意驱使之，玩弄之，督责之，据之为私产，视之为家仆，乃至售之为奴婢，献之为祭品。举凡天下一切暴政苛刑，父母皆可一一施诸子女之身。其罚子女也，又从无规定之刑律，往往以父母之气平怒息为止点。"君要臣死，臣不可不死。父要子亡，子不可不亡。"呱呱坠地之胎儿，果负何罪而应置之死地，乃溺婴之风则盛行也；七八岁之儿童，果具何体力而能谋生养家，乃强迫幼童做苦工之事，则遍见于市村也。贩卖奴婢与畜养奴婢，皆古世纪之人所以待其征服之民族，而文明国所竭力禁止者也。乃吾国父母则以此待其亲生之子女，或同一国民之子女。"……与得金钱知几何，甘心鬻我做人婢。尔时幼小只从他，薄命飘零可若何？当年携到扬州地，山程水程万里多。扬州一人主翁宅，年复一年谁爱惜！朝捧茶饭暮捧汤，寒缺衣裳饥缺食。主翁有时稍见怜，主母鞭棰那禁得……可怜我貌空如花，可怜我命真如叶。今日人家呼作儿，来日人家呼作妾。以此伤心怨复嗟，夜深掩涕肝肠裂。早知粉面换黄金，悔不当年堕江月……"（见清朝《闺秀正始续集》）此何桂枝女士自作之悲命诗也。不啻为普天下一切做人婢者写照也。凡此种种，虽曰儿女命薄，生未逢辰，遭家不造，遂堕劫尘。然吾必谓万方有罪，罪在父母，当子女未成胎之前，父母宁不自知其家况，既知其不能抚，而复生之，知其不能抚而复生之，而又不善设法寄养之，父母之罪不容辞矣！然则奈何，曰既不能收获，则不当耕耘；既不能望生意之发达，则不当妄投资本。由陌路人而夫妇，由夫妇而父母，此间有莫大责任，岂可以儿戏出之？（泰西男子结婚，必先自量其财力，能否养育将来之子女，不能，则宁迟婚或终身不娶，亦不愿累害无辜，可谓仁矣！）

子女之未遭毒害，不为人婢，及无须作工者，似为有福矣；实则不然，以其尚有种种不堪之家庭义务须尽也。吾国父母有一极谬理想，为后此种种要挟儿女之根本者即据生育事完全为一己之功是也。《孝经》曰，"身体发肤，受之父母"，此犹二千年前之理想也。更举一最新教科书之言以为证。

世界人类，无贵贱无智愚，试执一人而询之曰，汝何以有汝身，则无不曰，父母之所生也。又询试之曰，汝有此身，何以能成立，则无不曰父母之所养也。然则父母之恩何如乎？……父母之恩如此，以言报答，殆非人力之所能及……"（见初等国文教科书第八册，"劝孝"课。）

此种论调，与"米从何处来，麻布袋中来；麻布袋又从何来，米船中来"同一见识。夫人之生也，冥冥之中，造化小儿不知预先作几许安排，卖几许心机，始借男女之体以传，男女传种亦不过偶逢其会耳！当男女欢悦时，是否皆有此诚心，尚属疑问。母怀胎十月，苦则苦矣；谓母对于胎之构造，有丝毫主权曰，此胎必须如是如是成之，吾恐虽一指一发之微，亦只有听天唯命而已。唯吾国父母人人以造物主自命，对于子女，不以平等之人类视之，而以受造物视之（常见人对客称己子为犬子，又以各种下贱走兽命其名，荒谬绝伦），故父母得享其专利，以后种种残暴之待遇，及过分之要求（如拜祖宗之类），皆假此名分以行。

名分既定，为人子者系终不得不做人之专利品。凡有利于父母之事，子女须牺牲一切以趋之；有害于父母之事，须牺牲一切以避之。当子女之事亲也，子女以亲之福利为目的，己身非所顾也；亲之事子女也，亲则以己身之福利为目的，子女则不过借以达其目的之利器而已。父母何贵乎！有子女以其能服劳、奉养、承欢、送终、继嗣扫墓也。此外若社会、若国家、若世界许多事业，皆非所计也。子女之被教养成人者，至能亦不过宜家宜室耳！彼等所受于父母师长之第一职任，乃仅在一孝道。夫孝道为何等狭隘之物？充其量亦不过造福二人耳（纵使父有多妻，造福应在二人以上，然其中岂无嫡庶之嫌）！况吾国先圣规定孝道之条件极苛，即以"生事之以礼，死葬之以礼，祭之以礼"，一条行之，已足竭子女毕生之精力而有余。犹恐不及，父母在，则不许远游，游必有方。（一语消磨多探险家）父母没，则又三年不许改其道（按心理学家言，一事行之多日不改，则成习惯，行之经年，则习惯终身难移。果尔，三年不改其道，是习惯不能改其道矣），期必完全削夺子女之自由权而后已。乃后世行之，愈出愈奇，愈趋愈下，最可骇者，割股疗亲是也。姑无论人肉治病，天下无此医理，即令有之，此风尚可长耶！吾闻老年人每多重病，患一次，割一次，人有身多少肌肉，足供彼常年之需乎？此种野蛮风俗，吾国言论家不速为之化除，反从而推波助澜，作孝子传以表扬之。谓其行虽愚，其志可嘉。所谓志者，亦不过怕"罪孽深重，不自陨灭，祸延考妣"而已；所谓愚者，则真愚到不堪闻问矣！除割股外，尚有数事，载在某孝子传中（下节见《中国维新报》七年九月七号，该报发刊虽在纽约城，所载之事则仍出于中国。该文大约亦系由国内报纸转载过来。记者寄居异域，甚乏书报参考，不然，将更有较妙之材料，实我篇幅，盖此种传记，国内报纸到处登载也）。

"蔡孝子……每晚归，或值门闭。知亲已睡也，跪俟门外。父母闻犬吠声，知孝子之至也，启之，则俯偻而入……父殁，哀痛几绝。……凡母饮食器用，必亲料理，虽衣襦缠足布等，必亲洗濯……一日母病，涕泣无以为计，有告罗浮神可求寿者，即斋戒沐浴……走数百里遄往。……母卒……既葬，编茅庐墓旁三年。邑贡生杜显荣禀县令，以克敦孝行旌其家。孝子既丧母，心念无已，为一炉，每食必焚香默祝，母食而后食，每出入必与俱，捧炉如捧母……孝子每除夕，必入山寝宿墓前，乡人危以虎豹鬼物，答曰，鬼则我不知，虎则噬猪犬耳；我人也，非人而猪犬者，何噬我为？世以为知言。……或曰愚，郑浩（作传记者）曰，此乃所以为蔡孝子也。"

呜呼！此非吾国朝野上下所称道之一种人格乎？孝子之所以为孝子者，不过尔尔，无怪乎吾国千年来孝子之多也！一部金科玉律，历代相传之《四书》，依余计算，注重孝道之句，竟重复至四十八次之多；论父慈则仅仅六言散见各章而已（就中以《大学》"为人父止于慈"一句为最显。其余如"父子有亲""仁之于父子也……命也,有性焉""小者怀之"等句,皆极含糊)。此亦吾国慈父少,孝子多之一大原因也。使孝子而无害于国家,这也罢了;无如产孝子愈多之时代,产忠臣必愈少。盖忠孝相冲突之点极多,如伍员为父报仇不惜覆人邦国之类,二义最难两全也。若以今世共和民主之义言之,则爱家之心愈重,爱国与爱社会事业之心必愈轻。如梁任公先生在国家危急存亡之秋,因丧父而辞讨袁军职,宁置国于不护。(按:讨袁军亦名护国军。)留学生往往因亲病,或因亲望孙心切而废学之类。即有贤父母如窦燕山、孟母其人者,不欲其子女作一生之家奴,乃示之以宦途,或教之以义方,而其最终目的,仍不过"扬名声,显父母"耳!初何尝以国利民福为前提哉!

余今请以一言正告国人曰,父母者,天生所以教育子女,非利用子女者也。正如天生鸡,所以复卵,非食卵也。子女者,天生以预备做父母,教育未来之子女者也;非仅为孝敬父母而生也。亦如鸡卵乃天备以作鸡,而复他卵者也;非供养老鸡而生也。此喻虽浅,天理固不悖也。今之父母则不然,未尽亲职,便思反哺,其向子女索报,如索债然。有圣人作中,借字前已写好,期以必偿为止,岂知尽亲职断非放债与子女之谓,正还债与天之谓也。天生禽兽,传种后多则数年,少则顷刻即灭,以其无亲职可尽也。传下之种,类能自活,至传种事毕,他无所用,故灭。天生人则不然,父母时期延长至数十年之久,诚以教育子女,非一朝一夕所可奏功。树木十年,树人百年,此天之用心也。故尽亲职,即尽天职;未尽亲职,即辜负天心。受亲恩,即受天恩,若仅知图报、代天行事之双亲,则置天于何在?抑家之存在,端赖国之存在,若一国之少年徒知尽义务于护己之家,则置护家之国于谁人料理耶?吾言尽于此矣。世之闻吾言而摇首切齿,骂我为忤逆不道,加我以冒天下大不韪之名者,则必仍属大古时代家天下之遗民,未足以语共和国民之精神者也。

(第五卷第六号,一九一八年十二月十五日)

对于今日学校之批评

缉 斋

（一）教室制度

　　现在教员和学生在教室以外接洽的机会甚少，教室就是教员指导学生求学的唯一的地方。我们推想，学生既然以求学为目的，当然愿意上讲堂的；然而实际上，十个学生有九个欢喜缺席，查堂查得松，他们不是用个小手法不上堂，便是点名以后逃堂。查得紧，既不能缺席，又不能逃堂，他们在教室内或偷看小说报纸及其他书籍，或和同桌坐的同学闲谈，或伏在案上睡觉，仍然是不听讲。如果教员的规矩严，在教室内不能明着看书、闲谈、睡觉，坐在后面的学生，还可以将小说夹在讲义里面看，或是与同桌的同学，以笔谈代口谈，或是眼上戴上一副眼镜，将两手垫着下巴对着讲义睡。这种现象各学校都有的。一般办教育的人都是用扣分、记过、休学、退学种种的法子防备学生这些恶习，但都无甚效验。因为教室这种制度，根本上有短处，并且还有别的原因，使学生不愿意听讲。扣分、记过等法，只能将学生的身子关在教室里面，不能拘束学生的心。教室制度有什么短处呢？

　　现在流行的教室制度多半都是在未上课之先，发给学生几页讲义；上课之后，教员照着讲义讲，学生看着听。听的有疑问的时候，在下堂之后十分钟以内可以问教员。教员所授的功课，到了一学年终考试一次，这门功课就算毕业了。这种制度有一个大短处。按照这种教室制度，教员的责任，只在平时上课的时间按着讲义讲，到了年终，出几个题目考学生；学生的责任只须平时听讲，年终给每门功课写一本卷子。换一句话说，学生所须的事，只是能记得讲义，答出教员所出的问题。所以现在的教室制度，不是求发达学生的思想，但求学生能写考卷。既然是以学生能写考卷为目的，学生又有讲义可以供给写考卷的材料，无论教员讲的如何快，一年里头各门功课的讲义一共只有二千余页，考试前一个月的工夫，便可预备好了。平常的日子，为什么不得乐且乐，自在玩耍，反去坐在讲室内听讲呢？有人以为不发讲义，就可以使学生听讲了，其实不然。第一层，因为现在教室制度的弊病，不是在发讲义，是在不求发达学生的思想；第二层，教员所讲的多是从书籍上抄来的，学生如果将教员所用的原书寻到，即使不发讲义，听否亦可以随便。

除去以上所说的教室制度的短处，还有两种别的原因，使学生不愿意上堂听讲。第一桩是教员所讲的话，不能引起学生的兴味；第二桩是学生因为自己有种种事情不能听讲。现在先说第一种的原因，教员的责任，在指导学生求学的门径，鼓励学生求学，学生遇着困难的时候，想法子帮助他。学生有教员的指导，求学才有次序，才有兴趣，才可不至因为一点的困难，便不愿研究学问了。学生借着教员的鼓励，遇见困难的问题反能引起好胜的心，力求解决；学生的思想更可以活动，智识自然日进了。然而近日的教员，多半是不勤学的，只会解释讲义不会指导求学的方法，不会帮助学生求学的困难。学生求学与否，向来是不过问的。教员的讲义，往往是他们在外国留学的时候所用的书籍,或所抄的笔记。所以讲义内的材料,多是数年或十数年前的。如山东某校一位宪法教员,一日讲预算,就在清水澄的宪法书上,抄了一个法国预算表,证明他的理论。这个预算表的年龄,比那一班内年龄最高的一位三十七岁的学生,还大六岁。又如北京某校的农业政策教员,一天讲到农业与交通的关系,便将九十二年前德人 Von Thunen 所作 *Der isolierte Staat in Bezehung auf Landwirtschaft und Nationalökonomie* 书中大意,用一副庄严的面孔,一种沉重的声音,讲了一点半钟。凡是新东西才能引起人的好奇心,惹起人的注意。这种几十年前的古董,怎么能使人愿意听呢?有时候就是讲义里面的理论,教员亦往往讲不清楚。多数教员的习惯,是事前不预备,到了讲堂现看讲义现讲。遇着困难的复杂的理论,讲不出来,或是阿阿几声顺口带过去,或是说一段大概、似乎、仿佛,像是这样讲法,或是随便造一个意思讲下去。下了讲堂,学生如果要问,教员不是跑,就是说下次再讲——这个下次,是教员来世再做教员的下次,不是今生下次上堂的下次。学生坐在讲堂里面,听这种糊涂讲,岂不是白费时间么?怎么会愿意听糊涂讲呢?就是讲的清楚的教员,多数是无批评的能力。北京某校农政学教员,最欢喜用统计。然而常常不写统计的年月日,不问调查的机关,不问调查的方法,不参照有关系的别的统计,便硬下断案。一日,用不知何年月日的英、法、德、美等国的每百人平均,可有若干家畜的统计,和不知何年月日的中国的同样的统计,比较了一番,下了一个巧妙的断案。说道:"中国只有猪比他国多,因为中国人吃猪肉。"这种用统计的法子,可谓独一无二。然而这囫囵吞枣的讲法,多数的教员是常用的。学生在教室内听这种讲,怎么会不厌烦想逃跑呢?

学生因为自己有种种事情，不愿意上堂，或虽上堂亦不能听讲。第一样，是学生有神经衰弱病或其他的神经病的，然而因为怕扣分休学，勉强上堂，却不能听讲；第二样，是因为家内有困难不易解决的事，或其他的事情，终日里闹的心思不宁，不能听讲；第三样，是习于嫖赌，终日以妓馆、博场当作讲堂，不上课的。另有专章论这一条，现在可以不论。现在所要详细说的，就是那学力不足，上课以后，听讲听不明白，因而不愿意上讲堂的。学力不足，可分两层讲：（一）现在的中小学的教授法，只求学生死读教科书，不求教育学生的推想及想象，所以一般的学生，到了专门以上的学校，多不能深思。遇着教员讲授复杂的理论，或复杂的制度，总不能十分了解，自然是不愿意上讲堂了。（二）现在的中小学既不能教学生能用确当的本国文字，表明自己的思想，又能得使学生得一种现在求学所必须的外国文字。中小学的国文教员，不求学生用字确当能把意思表示出来，反讲给学生气势、神韵等话听。这种话教员虽讲得有趣，学生是完全不懂。所以学生的文字，多半是不好。这个结果，一面使一般老先生骂学堂不好想恢复科举，以保存吾国文学；一面使学生受一种求学的障碍，作文的时候，往往有一种词不达意的苦处。自己虽有见解，不能写出来，同他人讨论，岂能希望有进步。本国文字教授不良，虽是一种求学的阻碍，然于学生不愿上堂无甚影响；外国文字教授不良，往往使学生不愿上课。吾国沿海商埠和内地商业发达的都会，尚可以有好外国文教员。内地商业不发达的城市，外国文教员多是坏的。学生学了三四年外国文字，认识的极少，文法亦知道不清楚，一句的主词、宾词都闹不明白，名词竟可以当作动词用。学的这样外国文字不中用，是不必说的。现在专门以上的学校，多欢喜用外国文直接讲授科学。外国文不好的学生,必听不懂,自然是不愿意上堂的了。

(二)考试制度

学校里教授学生唯一的法子,是教员按着讲义的演讲。而此种演讲的目的,是在年终每个学生写一本考卷,所以考试是现在学校考查学生的成绩,鼓励学生求学主要的方法。点名、扣分、记过、留级休学、退学等等,不过是考试的补助方法。对于教室及考试这两种制度加以批评,就把现在学校里所用发达学生思想直接的方法,全批评了。教室制度的短处,已如上述,现在接续评论考试。

考试的法子,是根据着赏罚。学堂里面对于考第一的学生,加以奖励便是赏;对于不及格的学生,命他留级,便是罚。罚与赏均有弊病。罚的效力在使人惧怕,而勤于读书。惧怕这种情绪,诚然可以禁制人不做可以生损害的事。然惧的效力,仅及于一时,非祸到临头,是不怕的。所以多数的学生,平日游戏玩耍,到了考试前一个月,便都抱起佛脚来了,星期日出门的必少;而且考试那几天,往往有通夜不睡的学生。由此看来利用惧使学生求学,一年之中,只能逼着学生读一个月的书,不能希望他真正求学,并且可以损害学生的身体。有人以为一年考一次,学生只读一个月的书,常常有考试学生便可勤学,这却不然。学生勤于读书,而不能思想,不能叫做求学。况且惧的效力,不独是一时的惧,还可以因人习于其事,便失其效力。常有考试的学生,考惯了,便不生惧怕之心。考试的功能,岂不失了么?再者惧的目的在用躲避的方法,求免祸患。所以利用惧,使学生求学,决不能达到目的。一层,学生中,因恐怕不及格而读书的,他的目的只在及格,不在求学。这种学生,在考试期内，把每门功课考完之后，便把功课都置诸脑后了。出学校的时候，与入学的时候，智识相差不多的。再一层，只求及格的学生，全用躲避的方法求及格。要范围、带夹带、找枪手、传递，种种方法，皆是常用的。考得严，夹带办得巧妙；考得松，夹带办得粗略。勿论考试的法子如何严密，这种弊端是去不了的。有以上三种原因，所以利用惧，使学生求学，是无甚效力的。

  利用罚，既无效力，利用赏如何呢？按现在的情形而论，赏亦无效。赏之所以能鼓励人的缘故，在能兴起人的好胜心。而好胜者所求的，只在比他人高。所以利用赏求学生勤学，因着赏的法子不同，而赏的效力不一样。现在的赏法，是赏考第一的学生。第一比别的学生高，好胜的学生所求的，就是第一。他平日读书，是专为的考试，与怕不及格而读书为学生，是一样的。不过读得遍数多，能记得长久一点儿，就完了。不能有自动的思想，算不得求学。想考第一的学生，如果欲念过于强盛，心里一时想到考了第一以后的快乐，便欢喜得了不得；一时想到考不了第一，便懊恼万状弄得坐不安，立不宁。这种悬念（anxiety）的情绪，轻的时候，可以使想取第一而勤于读书的学生因为恐怕不能遂他的志愿，往往用种种法子，倾轧可以与他竞争的同学。到了考试的时候，带夹带等事，有时亦不能免的。悬念重的时候，每日的幻想太多。日子久了，往往真假不分，生出变态心理学上所谓 Graudise and Persecutory Delusiono 来，因而成了疯狂。所以在现在的考试方法赏亦是用的不当。赏罚只生恶结果，不能劝人求学的。

（第五卷第六号，一九一八年十二月十五日）

我们现在怎样做父亲？

唐　俟

我做这一篇文的本意，其实是想研究怎样改革家庭。又因为中国亲权重，父权更重，所以尤想对于从来认为神圣不可侵犯的父子问题，发表一点意见。总而言之，只是革命要革到老子身上罢了。但何以大模大样用了这九个字的题目呢？这有两个理由：

第一，中国的"圣人之徒"最恨人动摇他的两样东西。一样不必说，也与我辈绝不相干；一样便是他的伦常。我辈却不免偶然发几句议论，所以株连牵扯，很得了许多"铲伦常""禽兽行"之类的恶名。他们以为父对于子有绝对的权力和威严。若是老子说话，当然无所不可，儿子有话，却在未说之前早已错了。但祖父子孙，本来各各都只是生命的桥梁的一级，决不是固定不易的。现在的子，便是将来的父，也便是将来的祖。我知道我辈和读者，若不是现任之父，也一定是候补之父，而且也都有做祖宗的希望，所差只在一个时间。为想省却许多麻烦起见，我们便该无须客气，尽可先行占住了上风，摆出父亲的尊严，谈谈我们和我们子女的事。不但将来着手实行，可以减少困难，在中国也顺理成章，免得"圣人之徒"听了害怕，总算是一举两得之至的事了。所以说，"我们怎样做父亲"。

第二，对于家庭问题，我在本志《随感录》中（二五·四〇·四九）曾经略略说及；总括大意，便只是从我们起，解放了后来的人。论到解放子女，本是极平常的事，当然不必有什么讨论。但中国的老年，中了旧习惯旧思想的毒太深了，决定悟不过来。譬如早晨听到乌鸦叫，少年毫不介意，迷信的老人，却总须颓唐半天。虽然很可怜，然而也无法可救。没有法，便只能先从觉醒的人开手，各自解放了自己的孩子。自己背着因袭的重担，肩住了黑暗的闸门，放他们到宽阔光明的地方去。此后幸福地度日，合理地做人。

还有，我曾经说，自己并非创作者，便在上海报纸的《新教训》里，挨了一顿骂。但我辈评论事情，总须先评论了自己，不要冒充，才能像一篇说话，对得起自己和别人。我自己知道，不特并非创作者，并且也不是真理的发现者。凡有所说所写，只是就平日见闻的事理里面，取了一点心以为然的道理，至于终极究竟的事，却不能知。便是对于数年以后的学说的进步和变迁，也说不出会到如何地步，单相信比现在总该还有进步还有变迁罢了。所以说，"我们现在怎样做父亲"。

我现在心以为然的道理，极其简单。便是依据生物界的现象：一、要保存生命；二、要延续这生命；三、要发展这生命（就是进化）。生物都这样做，人也这样做，父亲也就是这样做。

生命的价值和生命价值的高下，现在可以不论。单照常识判断便知道既是生物，第一要紧的自然是生命。因为生物之所以为生物，全在有这生命，否则失了生物的意义。生物为保存生命起见，具有种种本能，最显著的是食欲。因有食欲才摄取食品，因有食品才发生温热，保存了生命。但生物的个体才免不了老衰和死亡，为继续生命起见，又有一种本能，便是性欲。因性欲才有性交，因有性交才发生苗裔，继续了生命。所以食欲是保存自己，保存现在生命的事；性欲是保存后裔，保存永久生命的事。饮食并非罪恶，并非不净；性交也就并非罪恶，并非不净。饮食的结果，养活了自己，对于自己没有恩。性交的结果，生出子女，对于子女当然也算不了恩。前前后后，都向生命的长途走去，仅有先后的不同，分不出谁受谁的恩典。

可惜的是中国的旧见解，竟与这道理完全相反。夫妇是"人伦之中"，却说是"人伦之始"；性交是常事，却以为不净；生育也是常事，却以为天大的大功。人人对于婚姻，大抵先夹带着不净的思想。亲戚朋友有许多戏谑，自己也有许多羞涩，直到生了孩子，还是躲躲闪闪，怕敢声明。独有对于孩子，却威严十足。这种行径，简直可以说是和偷了钱发迹的财主，不相上下了。我并不是说，如他们攻击者所意想的，人类的性交也应如别种动物，随便举行；或如无耻流氓，专做些下流举动，自鸣得意。是说此后觉醒的人，应该先洗净了东方固有的不净思想，再纯洁明白一些，了解夫妇是伴侣，是共同劳动者，又是新生命创造者的意义。所生的子女，固然是受领新生命的人，但他也不永久占领，将来还要交付子女，像他们的父母一般。只是前前后后，都做一个过付的经手人罢了。

生命何以必须继续呢？就是因为要发展要进化。个体既然免不了死亡，进化又毫无止境，所以只能延续着，在这进化的路上走。走这路须有一种内的努力，有如单细胞动物有内的努力，积久才会繁复。无脊椎动物有内的努力，积久才会发生脊椎。所以后起的生命，总比以前的更有意义更近完全，因此也更有价值更可宝贵，前者的生命，应该牺牲于他。

但可惜的是中国的旧见解，又恰恰与这道理完全相反。本位应在幼者,却反在长者;置重应在将来,却反在过去。前者做了更前者的牺牲,自己无力生存,却苛责后者又来专做他的牺牲,毁灭了一切发展本身的能力。我也不是说,如他们攻击者所意想的,孙子理应终日痛打他的祖父,女儿必须时时咒骂她的亲娘。是说此后觉醒的人,应该先洗净了东方古传的谬误思想,对于子女,义务思想须加多,而权利思想却大可切实核减,以准备改作幼者本位的道德。况且幼者受了权利,也并非永久占有,将来还要对于他们的幼者,仍尽义务。只是前前后后,都做一个过付的经手人罢了。

"父子间没有什么恩"这一个断语,实是招致"圣人之徒"面红耳赤的一大原因。他们的误点,便在长者本位与利己思想、权利思想很重,义务思想和责任心却很轻。以为父子关系,只须"父兮生我"一件事,幼者的全部,便应为长者所有。尤其堕落的是因此责望报偿,以为幼者的全部,理该做长者的牺牲。殊不知自然界的安排,却件件与这要求反对。我们从古以来,逆天行事,于是人的能力,十分萎缩,社会的进步,也就跟着停顿。我们虽不能说停顿便要灭亡,但较之进步,总是停顿与灭亡的路相近。

自然界的安排,虽不免也有缺点,但结合长幼的方法,却并无错误。他并不用"恩",却给予生物以一种天性,我们称它为"爱"。动物界中除了生子数目太多——爱不周到的如鱼类之外,总是挚爱他的幼子;不但绝无利益心情,甚或至于牺牲了自己,让他的将来的生命,去上那发展的长途。

人类也不外此。欧美家庭大抵以幼者弱者为本位,便是最合于这生物学的真理的办法。便在中国,只要心思纯白,未曾经过"圣人之徒"作践的人,也都自然而然的能发现这一种天性。例如一个村妇哺乳婴儿的时候,决不想到自己正在施恩;一个农夫娶妻的时候,也决不以为将要放债。只是有了子女,即天然相爱,愿他生存;更进一步的,便还要愿他比自己更好,就是进化。这离绝了交换关系、利害关系的爱,便是人伦的索子,便是所谓"纲"。倘如旧说,抹煞了"爱"一味说"恩",又因此责望报偿,那便不但败坏了父子间的道德,而且也大反于做父母的实际的真情,播下乖剌的种子。有人做了乐府,说是"劝孝",大意是什么"儿子上学堂,母亲在家磨杏仁,预备回来给他喝,你还不孝么"之类,自以为"拚命卫道"。殊不知富翁的杏酪和穷人的豆浆,在爱情上价值同等,而其价值却正在父母当时并无求报的心思;否则变成买卖行为,虽然喝了杏酪,也不异"人乳喂猪",无非要猪肉肥美。在人伦道德上,丝毫没有价值了。

所以我现在心以为然的,便只是"爱"。

无论何国何人,大都承认"爱己"是一件好事。这便是保存生命的要义,也就是继续生命的根基。因为将来的命运,早在现在决定。故父母的缺点,便是子孙灭亡的伏线,生命的危机。易卜生做的《群鬼》(有潘家洵君译本,载在《新潮》一卷五号)虽然重在男女问题,但我们也可以看出遗传的可怕。欧士华本是要生活能创作的人,因为父亲的不检,先天得了病毒,中途不能做人了。他又很爱母亲,不忍劳她服侍,便藏着吗啡,想待发作时候,由使女瑞琴帮他吃下,毒杀了自己。可是瑞琴走了,他于是只好托他母亲了。

欧:"母亲,现在应该你帮我的忙了。"

阿夫人:"我吗?"

欧:"谁能及得上你?"

阿夫人:"我!你的母亲!"

欧:"正是那个。"

阿夫人:"我,生你的人!"

欧:"我不曾教你生我。并且给我的是一种什么日子?我不要它!你拿回去吧!"

这一段描写,实在是我们做父亲的人应该震惊戒惧佩服的。决不能昧了良心,说儿子理应受罪。这种事情,中国也很多,只要在医院做事,便能时时看见先天梅毒性病儿的惨状。而且傲然的送来的,又大抵是他的父母。但可怕的遗传,并不只是梅毒。另外许多精神上、体质上的缺点,也可以传之子孙。而且久而久之,连社会都蒙着影响。我们且不高谈人群,单为子女说,便可以说凡是不爱己的人,实在欠缺做父亲的资格。就令硬做了父亲,也不过如古代的草寇称王一般,万万算不了正统。将来学问发达,社会改造时,他们侥幸留下的苗裔,恐怕总不免要受善种学(Eugenics)者的处置。

倘若现在父母并没有将什么精神上、体质上的缺点交给子女,又不遇意外的事,子女便当然健康,总算已经达到了继续生命的目的。但父母的责任还没有完,因为生命虽然继续了,却是停顿不得,所以还须教这新生命去发展。凡动物较高等的,对于幼稚,除了养育保护以外,往往还教他们生存上必需的本领。例如飞禽便教飞翔,鸷兽便教搏击。人类更高几等,便也有愿意子孙更进一层的天性。这也是爱,上文所说的是对于现在,这是对于将来。只要思想未遭锢蔽的人,谁也喜欢子女比自己更强,更健康,更聪明高尚,更幸福;就是超越了自己,超越了过去。超越便须改变,所以子孙对于祖先的事,应该改变,"三年无改于父之道可谓孝矣"当然是曲说，是退婴的病根，假使古代的单细胞动物，也遵着这教训，那便永远不敢分裂繁复，世界上再也不会有人类了。

幸而这一类教训，虽然害过许多人，却还未能完全扫尽了一切人的天性。没有读过"圣贤书"的人，还能将这天性在名教的斧钺底下，时时流露，时时萌蘖；这便是中国人虽然凋落萎缩，却未灭绝的原因。

所以觉醒的人，此后应将这天性的爱，更加扩张，更加醇化；用无我的爱，自己牺牲于后起新人。开宗第一，便是理解。往昔的欧人对于孩子的误解，是以为成人的预备；中国人的误解，是以为缩小的成人。直到近来，经过许多学者的研究，才知道孩子的世界与成人截然不同；倘不先行理解，一味蛮做，便大碍于孩子的发达。所以一切设施，都应该以孩子为本位。日本近来觉悟的也很不少；对于儿童的设施，研究儿童的事业，都非常兴盛了。第二，便是指导。时势既有改变，生活也必须进化；所以后起的人物，一定优异于前，决不能用同一模型，无理嵌定。长者须是指导者协商者，却不该是命令者。不但不该责幼者供奉自己；而且还须用全副精神，专为他们自己，养成他们有耐劳作的体力，纯洁高尚的道德，广博自由能容纳新潮流的精神，也就是能在世界新潮流中游泳，不被淹没的力量。第三，便是解放。子女是即我非我的人；但既已分立，也便是人类中的人。因为即我，所以更应该尽教育的义务，交给他们自立的能力；因为非我，所以也应同时解放，全部为他们自己所有，成一个独立的人。

这样，便是父母对于子女，应该健全地产生，尽力地教育，完全地解放。

但有人会怕，仿佛父母从此以后，一无所有，无聊至极了。这种空虚的恐怖和无聊的感想,也即从谬误的旧思想发生;倘明白了生物学的真理,自然便会消灭。但要做解放子女的父母,也应预备一种能力。便是自己虽然已经带着过去的色彩,却不失独立的本领和精神。有广博的趣味,高尚的娱乐。要幸福么？连你的将来的生命都幸福了。要"返老还童",要"老复丁"么？子女便是"复丁",都已独立而且更好了。这才是完了长者的任务得了人生的慰安。倘若思想本领,样样照旧,专以"勃溪"为业,行辈自豪,那便自然免不了空虚无聊的苦痛。

或者又怕,解放之后,父子间要疏隔了。欧美的家庭,专制不及中国,早已大家知道;往者虽有人比之禽兽,现在却连"卫道"的圣徒,也曾替他们辩护,说并无"逆子叛弟"。因此可知：惟其解放,所以相亲;惟其没有"拘挛"子弟的父兄,所以也没有反抗"拘挛"的"逆子叛弟"。若威逼利诱,便无论如何,决不能有"万年有道之长"。例便如我中国,汉有举孝、唐有孝悌力田科,清末也还有孝廉方正,都能换到官做。父恩谕之于先,皇恩施之于后,然而股上有疤的人,究属寥寥。足可证明中国的旧学说旧手段,实在从古以来,并无良效,无非使坏人增长些虚伪,好人无端的多受些人我都无利益的苦罢了。

独有"爱"是真的。路粹引孔融说,"父之于子,当有何亲？论其本意,实为情欲发耳。子之于母,亦复奚为？譬如物寄瓶中,出则离矣"。（汉末的孔府上,很出过几个有特色的奇人,不像现在这般冷落。这话也许确是北海先生所说;只是攻击他的偏是路粹和曹操,教人发笑罢了。）虽然也是一种对于旧说的打击,但实于事理不合。因为父母生了子女,同时又有天性的爱,这爱又很深广很长久,不会即离。现在世界没有大同,相爱还有差等,子女对于父母,也便最爱、最关切，不会即离。所以疏隔一层，不劳多虑。至于一种例外的人，或者非爱所能钩连。但若爱力尚且不能钩连。那便任凭什么"恩威、名分、天经、地义"之类，更是钩连不住。

或者又怕，解放之后，长者要吃苦了。这事可分两层：第一，中国的社会，虽说"道德好"，实际却太缺乏相爱相助的心思。便是"孝""烈"这类道德，也都是旁人毫不负责，一味收拾幼者弱者的方法。在这样社会中，不独老者难于生活，即解放的幼者，也难于生活。第二，中国的男女，大抵未老先衰，甚至不到二十岁，早已老态可掬。待到真实衰老，便更需别人扶持。所以我说，解放子女的父母，应该先有一番预备；而对于如此社会，尤应该改造，使他能适于合理的生活。许多人预备着，改造着，久而久之，自然可望实现了。单就别国的往事而言，斯宾塞未曾结婚，不闻他侘傺无聊；瓦特早没有了子女，也居然"寿终正寝"。何况在将来，更何况有儿女的人呢？

或者又怕，解放之后，子女要吃苦了。这事也有两层，全如上文所说，不过一是因为老而无能，一是因为少不更事罢了。因此觉醒的人，愈觉有改造社会的任务。中国相传的成法，谬误很多：一种是锢闭，以为可以与社会隔离，不受影响。一种是教给他恶本领，以为如此才能在社会中生活。用这类方法的长者，虽然也含有继续生命的好意，但比照事理，却决定谬误。此外还有一种，是传授些周旋方法，教他们顺应社会。这与数年前讲"实用主义"的人，因为市上有假洋钱，便要在学校里遍教学生看洋钱的法子之类同一错误。社会虽然不能不偶然顺应，但决不是正当办法。因为社会不改，恶现象便很多，势不能一一顺应；倘都顺应了，又违反了合理的生活，倒走了进化的路。所以根本方法，只有改良社会。

就实际上说，中国旧理想的家族关系父子关系之类，其实早已崩溃。这也非"于今为烈"，正是"在昔已然"。历来都竭力表彰"五世同堂"，便足见实际上同居的为难；拼命的劝孝，也足见事实上孝子的缺少。而其原因，便全在一意提倡虚伪道德，蔑视了真的人情。我们试一翻大族的家谱，便知道始迁祖宗，大抵是单身迁居，成家立业；一到聚族而居，家谱出版，却已在零落的中途了。况在将来，迷信破了，便没有哭竹、卧冰；医学发达了，也不必尝秽、割股。又因为经济关系，结婚不得不迟，生育因此也迟，或者子女才能自存，父母已经衰老，不及依赖他们供养，事实上也就是父母反尽了义务。世界潮流逼拶着，这样做的可以生存，不然的便都衰落。无非觉醒者多加些人力，便危机可望较少就是了。

但既如上言，中国家庭实际久已崩溃，并不如"圣人之徒"纸上的空谈；则何以至今依然如故，一无进步呢？这事很容易解答。第一，崩溃者自崩溃，纠缠者自纠缠，设立者又自设立；毫无戒心，也不想到改革，所以如故。第二，以前的家庭中间，本来常有勃谿，到了新名词流行之后，便都改称"革命"，然而其实也仍是讨嫖钱至于相骂，要赌本至于相打之类；与觉醒者的改革，截然两途。这一类自称"革命"的勃谿子弟，纯属旧式，待到自己有了子女，也决不解放；或者毫不管理，或者反要寻出《孝经》，勒令诵读，想他们"学于古训"都做牺牲。这只能全归旧道德旧习惯旧方法负责，生物学的真理决不能妄任其咎。

既如上言，生物为要进化，应该继续生命，那便"不孝有三，无后有大"；三妻四妾，也极合理了。这事也很容易解答。人类因为无后绝了将来的生命，虽然不幸；但若用不正当的方法手段，苟延生命而害及人群，便该比一人无后，尤其"不孝"。因为现在的社会，一夫一妻制最为合理；而多妻主义，实能使人群堕落。堕落近于退化，与继续生命的目的恰恰完全相反。无后只是灭绝了自己，退化状态的有后，便会毁到他人。人类总有些为他人牺牲自己的精神。而况生物自发生以来，交互关联，一人的血统，大抵总与他人有关，不会完全灭绝。所以生物学的真理，决非多妻主义的护符。

总而言之，觉醒的父母完全应该是义务的、利他的、牺牲的、很不易做，而在中国尤不易做。中国觉醒的人，为想随顺长者解放幼者，便须一面清结旧账，一面开辟新路。就是开首所说的"自己背着因袭的重担，肩住了黑暗的闸门，放他们到宽阔光明的地方去；此后幸福地度日，合理地做人"。这是一件极伟大要紧的事，也是一件极困苦艰难的事。

但世间又有一类长者，不但不肯解放子女，并且不准子女解放他们自己的子女，就是并要孙子、曾孙都做无谓的牺牲。这也是一个问题，而我是愿意平和的人，所以对于这问题，现在不能解答。

（第六卷第六号，一九一九年十一月一日）

儿童公育

沈兼士

彻底的妇人问题解决法，处分新世界一切问题之锁钥。

解决妇人问题，其最大之障碍物，即为家族制度。家族制度者，人类私有财产制度的历史上之恶性传统物。自来社会种种进化，莫不受其累而形迟滞焉，不过亚洲与欧美，其受毒程度有深浅之别耳。今世界大战告终，社会行将改造，建设此新世界之惟一原则，人莫不知其为 Democracy 矣。假使不趁此时机打破家族制度，则妇人终竟不能脱离向日之羁绊，而社会之重心，仍属于男子方面。是 Democracy 云者，但为片面的而非普遍的。

今世与妇人问题并为人所重视之劳动问题，其最重要之条件，曰："工资增加。"假使家族制度不先打破，则生活程度逐日增高，赡妻养子，终莫能释内顾之忧。此种不均等的经济支配法，殊难维持长久之治安。是工资增加云者，但为治标的而非治本的。

妇人解放，其难点不在未生育之前，而在既生育之后；此为研究妇人问题者最当注意之处。欧美妇人知识程度，未必遽逊于男子，而卒未能与男子并驾齐驱，共同活动于社会中心者，亦家族制度为之累故耳。家族制度重要之元素，实为儿女。今欲解决妇人问题，若不先从处置儿童方法着手，是妇人解放云者，但为一时的而非到底的。

年来国人对于妇人问题，发表之文章颇多：或据事迹以评现状，或本理想以定目的。至于处此现状之下，当用如何手段，而后可以排除障碍，完全达到理想中所定之目的，此种方法，却少精密之讨论。间有言之者，亦不过一枝一节，绝鲜道及根本的具体进行方法者。今本一己之见解，粗分进行方法为四级，陈说于此。

四级方法：

（1）女子须与男子受同等之教育，备有同等之智识。由小学以至大学，男女均须同校。破除向来以"良母贤妻"为惟一标准之女子教育。

（2）知识既备，生计自广；然后可以脱离男子之羁绊，为社会服一切职务。

（3）男女既能各谋生计，夫妇当以分居为常法，合居为例外，破除固有之家庭形式。

（4）妇人问题最难解决之点，在于既生育之后。今研究妇人问题者，对于儿童，若无相当之良法以处置之，则妇人问题终无彻底解决之一日。良法惟何？吾以为即"儿童公育"是也。

儿童公育之组织：社会先当立一调查机关，酌定每若干人口之间，于适当地方设一公共教养儿童之区，其中如"胎儿所""收生所""哺乳所""幼稚园""小学校""儿童工场""儿童图书馆""儿童病院"等，及其它卫生设置，均须完备。担任教养之人材，以体格壮健，常识完备，秉性亲切为合格之三大要件。此外更当设一"儿童学研究会"，聘任"儿童学专家"（如"儿童心理学者""儿童生理学者""儿童教育学者"之类），随时调查讨论；每年联合若干区，开一"儿童比赛会"，请专门"儿童学者"评定成绩之优劣，以期竞争改良儿童公育之组织，至于尽善尽美。

儿童公育之经费：凡为母父者，每一儿童，须年助金若干；极贫者，得酌减助金，或免助金；资产家，除年助金之外，尚须纳开办临时助金，及特别常年助金；大率以资产之多寡比例出金。凡助金额数，及减免纳金，均须由本区人民公决之。至于遗产，统须归入儿童公育机关，不得授予私人；如遇特别情形，可由本区人民公决办法。

四级方法关于社会各方面之利益。

（每条下附识之(1)(2)(3)(4)即上方所列之四级方法。兹欲表明其与各方面有因果关系，故分识于各条之下。）

关于女子方面之利益：

（a）女子之智力体力，原与男子无大差别；其后因女子为男子所私有，遂终身埋头于生育中馈之职务。数千年来，乃养成男优女劣之习惯，今将桎梏女子之制度一切解放，女子之智力体力，不久必可恢复本来面目。(1)(3)(4)

（b）不至因养育而废学问，失职业，终身可以不依夫赖子。(3)(4)

（c）永无操婢、妾、娼妓诸贱业者。(1)(2)

（d）不必人人备有贤妻良母之惟一知识。(3)(4)

（e）长于教养儿童者可以作为专业，在儿童公育机关为一般儿童造福。(3)(4)

（f）独身，结婚，离婚，夫死再嫁，或不嫁，可以绝对自由，无家庭之拘束与儿女之牵制。(3)(4)

关于男子方面之利益：

（a）可以终身免负家累。(2)(3)(4)

(b)可以改良纳妾宿娼之恶习。(1)(2)(3)(4)

(注)男子纳妾宿娼,实为蔑视女子之人格。由心理方面观察之,其最大原因,则惟厌故喜新;此层,(1)(3)法足以防止之。此外尚有特别情形,如为求嗣续纳妾者,(4)法足以防止之。如畏负家累,宁宿娼而不娶者,(2)(3)(4)法足以防止之。

关于儿童方面之利益:

(a)使自觉其个人在于社会上之位置,以发达其对于人类互助之观念。(3)(4)

(b)不受父母之溺爱或压制,可以扫除崇拜祖先,依赖家长之恶习,使其有发挥本能之机会,了解独立之精神。(3)(4)

(c)先天遗传之恶根性或病质(如腺病质之类),得赖合于学理的教养以救正之,不致将来遗害于社会。(3)(4)

(d)妇人解放后,为社会上种种之活动,不能家居抚顾儿女,往往于儿童健全上发生影响。儿童公育之后,可勿虑矣。(4)

(e)依分功原则教养儿童,其德育、智育、体育可以平行发达,成效必在旧式专赖父母为生活者之上。(3)(4)

关于教育方面之利益:

(a)联合家庭教育、学校教育、社会教育为一气,可免向来学校与家庭隔阂矛盾之弊,且可化学校之死教育为适应社会需要之活教育。(4)

(b)各种儿童教养机关合而为一,自人力财力两方面言之,亦为最经济的组织。(4)

(c)无凭借世产,或因贫乏而失教育之儿童。(4)

关于社会方面之利益:

(a)纯粹以个人为单位,男女平行发展,共同尽力于各种事业,

社会生产之能率自必倍增。(2)(3)

（b）家族制度，权贵阶级，资产阶级，均可借此打破，永无复活之机缘。然后劳动问题，经济均等问题，得有根本之解决。(2)(3)(4)

（c）家庭破除，儿童公育之后，无产阶级间接可以得有产阶级之挹注（参考上文"儿童公育之经费"节）。又公共宿所及食所，自必应势而兴，当然腾出许多土地，节省许多粮食，以调节过与不足。此亦均贫富之一方法也。(3)(4)

（注）或以儿童公育之后，人人对于养育子女不负责任，恐将来发生人满之患。此固为理想上必有之问题。故上文规定：凡为父母者，均须以子女之多少为比例，助金于儿童公育机关，即所以令其负责任也。此外如禁止早婚，可于法律上规定之；节制性欲，可于道德上提倡之；皆消极的防止人口增多之法也。倘因此而竟谓儿童公育之必不可实行，则亦因噎废食之论已。

综观上说，欲解决社会一切问题，非先解决妇人问题不可；欲解决妇人问题，非先解决家族问题不可；欲解决家族问题，非先解决儿童问题不可。解决儿童问题之惟一良法，曰"儿童公育"。美总统威尔逊尝谓"国际同盟为解决和会一切问题之锁钥"。我于儿童公育之对于新世界一切问题亦深信其有此锁钥之价值。颇欲趁战后社会组织须变动之时机，将此主义宣传，以供同志之研究。

或有以儿童公育难于实行为虑者，不知理想为事实之先导。易卜生、托尔斯泰当时所主张之正义人道，世多疑其太迂。迟至今日，已得发展之机势，人莫不以其所主张为事理之当然矣。儿童归国家教养之说，昔日柏拉图辈早已引其端绪，今时机已经成熟，人类私有财产制度的历史行将告终。儿童本为社会之分子，今归之于社会公共教养,实合于自然之原理。吾深信欲立 Democracy 稳健完密之基础,破除旧世界之种种恶业。舍此别无根本的良法。

(附言一)此种组织,与旧式之"育婴堂""贫儿院",其性质根本不同。此为根本的、互助的、平等的;彼为补救的、慈善的、阶级的,不能混为一谈,认此为含有彼之扩张性也。

(附言二)此稿成于病余,无力参考成说,仅抒己见而已。尚望研究社会问题专家有以教之,幸甚。

(第六卷第六号,一九一九年十一月一日)

教育问题（通信）

虞杏村　独　秀

记者足下：

今年夏天我从商业学校毕业出来，在银行里谋了位置，有一位年老的同事问我："商业学校教些什么东西？"我一时说了几句大话，后来想想汗流满面。虽则我在学堂的时候，成绩亦不算恶，终觉得成了一个不伦不类的商人，现在把原因说些出来：

（一）学校里好尚虚名。办学的请了几位留学生同不得意的政客，教学生读了几本似通非通的讲义，就说得天花乱坠，不是夸造就人才，就是说改良商业。其实造成的人才极少，并且何曾把商业改良。

（二）讲义来历不明。外国留学生，把外国书译了几本，或者把编成的书，东拉西扯成了一本讲义，只要名目的同，不管能否适用。

（三）教员不适宜。请一位师范学校毕业生教经济学，请一位工科大学的工学士教银行学，只要能照讲义读一篇，亦不管学生明白不明白。

名词不统一：譬如"Current Account"有的译为"往来存款"，有的译作"活期存款"，还有用东文"当座预金"的，弄到学者摸不着头脑。

我记得以前有位蒋梦麟先生，他在《时报》上投了一篇稿(《与某银行经理谈话》)，说得实在不错。因为商业学校的毕业生，真是没有用处。虽然学生自己亦有不好的，但一半是受学校的害。还请几位教育家和实业家，快些想个法子，救我们可怜的青年！

一九一九年十二月十一日　虞杏村自大连中国银行寄

　　中国的学校，简直是害人坑，是黑暗牢狱。请看有名的清华学校和北洋大学还是这样，别的不用说了。我也曾经害过人，现在想起来真是汗流浃背呵！这件事不但不必责备政府，并不必指望什么教育家，谁配当教育家？只有学生自己起来解决。

独　秀

(第七卷第三号，一九二〇年二月一日)

林纾与育德中学(通信)

林 纾 臧玉海 独 秀

独秀先生:

我和先生是从来没见过面的,这回无故的相扰,真是觉得对不起!

先生也许知道:直隶的学校除了京、津略开通些,保定的是极死不过的!在这许多极死不过的学校里边,还是只有个育德中学气压略低些。你想,在这个学校里的学生们还不快些走向光明去,偏要自寻不快,有些人立起个"国故促进社"来。学生的知识虽则幼稚,却也知道已死的东西是不能促进的。——研究也可,整理也可,怎的会促进? 不料他们讲了些圣贤书——囫囵吞枣地讲了些《史记》《畏庐文集》——还不算,又给那承道统的林琴南写了去一封信:拿他比韩愈、孟轲,拿那所谓倡新学说的比杨、墨、佛、老,求他给他们讲的那课程做个序。林老头子,居然就来信应允了他们。序还没做成,我先把这封信抄上给先生看看,看了真是肉麻啊! 先生要不嫌扎眼,以后我可以再把那序子寄给先生。来信如下:

育德诸君子同鉴蒙:

赐书以孟、韩见待,读之汗浃于背。仆伏处京邑,年垂七十以卖文、卖书自活，不敢问及世事。以叛伦逆常者，闹如蛙蝇，复有大力者，拥最上之皋。比率之为禽兽行，名曰"新道德"，实则示之以忤逆淫荡。凡能力反道德者，均谓之新，视杨、墨、佛、老之祸，酷至万倍。杨、墨、佛、老，均不足祸人，而孟、韩尚力攻之。今之倡率人类反于禽兽，孟、韩虽作，又将如何？而况世无孟、韩，又焉能制！

诸君子崇尚儒先，保守经学，此沧海横流中一砥柱也。鄙人斡力虽薄，敢不起从。

诸君子之后，请将所选之书凡例，一纸见示，以便恭撰序言以如尊嘱。

铅椠困人，不暇多述，诸希鉴宥，不备。

林纾顿首

独秀先生：

我想我们这些很活泼的青年生在现在，真算走了背运了！不但没人领我们走向光明去，还有许多的大人先生们要蒙蔽我们，压制我们，摧残我们。你看残苦不残苦！可怜不可怜！我在这个生涯里瞎混，一方面可怜自己，一方面可怜我那最亲爱的同学。我是不能不奋斗，不敢不奋斗的！——虽则那些事可以任着他们，可是我怕把我那很好的同学领错了路！所以我写信给先生商量。总之，先生如果不忍于看着他们瞎子领瞎子，我还是请先生努力地领我们向光明去！

一九一九年十二月廿四，学生臧玉海

林老先生自命为古文家，其实从前吴挚甫先生就说他只能译小说不能做古文，现在桐城派古又正宗马先生也看不起他这种野狐禅的古文家，至于选派文家更不用说了。我们现在不必拿宝贵的时光和他说废话。况且现在青年思想的大害,不是这班顽固的老辈,乃是有点新思想而不彻底的少壮学者呵!

独　秀

(第七卷第三号,一九二〇年二月一日)

新教育是什么

陈独秀

这篇是本年一月二日我在广州高等师范学校的演说,当时朴生、载扬二君记得很清楚,兹就二君所记略加增改,在本志上发表,因为广州的报纸别处不大见得着,今天讨论的问题是"新教育是什么"。新教育的对面就是旧教育,新教育和旧教育有什么分别呢?

或者有人说:新教育是学校,旧教育是科举。其实这个分别不过是形式的分别;科举时代所贵的是功名,是做官;现在学校所贵的还是有文凭,也是去做官,精神差不多是一样。

或者又有人说:旧教育是习经、史、子、集;新教育是习科学。其实这个分别也不过是教材上的分别;不能够当做新旧教育绝对不同的鸿沟。况且讲哲学可以取材于经书及诸子,讲文学可以取材于诗经以下古代诗文,讲历史学及社会学,更是离不开古书的考证,可见即以教材而论,也没有新旧的分别。经史子集和科学都是一种教材,我们若是用研究科学的方法研究经史子集,我们便不能说经史子集这种教材绝对的无价值;我们若是用村学究读经史子集的方法习科学,徒然死记几个数理化的公式和一些动植矿物的名称,我们不知道这种教材的价值能比经史子集高得多少?

旧教育——科举 ⎫
新教育——学校 ⎭ 形式的不同

旧教育——经史子集 ⎫
新教育——科　　学 ⎭ 教材种类的不同

照上看起来,科举和学校只是形式的不同,经史子集和科学只是教材种类的不同,不能说科举和经史子集是旧教育,也不能说学校和科学便是新教育,我们必须另外找出新旧教育分别的地方是什么。在我说明之先,我请各位想想到底什么是新教育,什么是旧教育?

新旧教育不同的地方,各位一定有许多意见,但现在没有机会可以和诸君各个讨论,只好拿我的意见告诉各位。我以为:

旧教育——主观的 ⎰ 教育主义——个人的
　　　　　　　　 ⎱ 教授方法——教训的

新教育——客观的 ⎰ 教育主义——社会的
　　　　　　　　 ⎱ 教授方法——启发的

旧教育的主义是要受教育者依照教育者的理想,做成伟大的个人,为圣贤,为仙佛,为豪杰,为大学者;新教育不是这样,新教育是注重在改良社会,不专在造成个人的伟大。我们现在批评这两种教育主义的好歹,应该先讨论社会和个人的力量哪样较大。我以为社会的力量大过个人远甚,社会能够支配个人,个人不能够支配社会。

各位对于这个意见,一定很怀疑,以为中国民族受孔子的影响何等伟大,印度民族受释迦牟尼的影响何等伟大,欧洲民族受耶稣的影响又何等伟大,支配世界的这三大民族完全为三个伟大的个人之精神所支配,怎么说个人不能支配社会,反说社会能够支配个人呢？

其实，诸位细想，世界各民族思想固然为这几个伟大的个人所支配，但我们要想想中国为什么有孔子？孔子的学说思想何以不发生在印度或欧洲，而发生在中国？反之，释迦、耶稣的说学思想何以发生在印度、欧洲，而不发生在中国？这是因为中国的气候土地适于农业，农业发达的结果，家族主义随之而发达；孔子的学说思想，和孔子所祖述的尧舜思想，都是完全根据家族主义，所谓有夫妇而后有父子，有父子而后君臣，与夫教孝祭祀，无一非家族主义的特征；由此可以看出孔子的学说思想绝不是他自己个人发明的，孔子的学说思想所以发生在中国也绝非偶然之事；乃是中国的土地气候造成中国的产业状况，中国的产业状况造成中国的社会组织，中国的社会组织造成孔子以前及孔子的伦理观念；这完全是有中国的社会才产生孔子的学说，绝不是有孔子的学说才产生中国的社会。又如印度地在热带，人民抵抗不起天然压迫，素具悲观性质，所以释迦牟尼以前的乌婆尼沙陀各派，释迦牟尼以后的小乘大乘各派，通印度全民族的思想，对于现世界无一不是彻头彻尾的悲观；释迦牟尼佛正是这种悲观民族的产物，并不是因为有了释迦牟尼佛印度人的悲观思想才发生的。至于耶教不重宗族不尚悲观，也是地多临海便于贸易往来富于自由迁徙勇于进取的社会造成的。我相信耶稣若生在中国，也必然主张夫妇父子君臣的伦理道德，孔子若生在印度，也必然是一个悲观厌世的宗教家，释迦牟尼若生在欧洲，也必然是一个主张自由进取的伟人。为什么呢？因为他们所在的社会都有支配他们思想的力量。

世界各民族中个人的伟大像这三大人物尚且是社会的产物，其他便不需讨论了。

又如非洲蛮人以斩杀仇人为道德，印度女子以自杀或自焚殉夫为道德，像这种个人的道德，他们自己必以为是他们个人的伟大，其实是社会一种恶俗造成他们个人的盲目行动。

又如一个城市里面公共卫生极不讲究，个人无论如何注意，在防疫的效果上总是力量很小。

又如现在的广州有许多很明白的人也坐轿，我敢说日后道路修好了，交通方便了，就是不明白的人也不肯坐轿。

又如现代就是教育程度极低的人也知道奴隶制度不好，但是在蓄奴社会的古代希腊，个人伟大的亚里斯多德竟主张奴隶制度不可废。

像这种个人必然受社会支配的例也不知有多少。前代的隐者，现代的新村运动及暗杀，都是个人主义教育结果的表现。前二者是想拿个人或一小部分人做改革社会的先驱或模范，后者是想除去社会上恶的一部分好达到改良社会的目的。其实都是妄想，他们都不明白社会支配个人的力量十分伟大。要想改革社会，非从社会一般制度上着想不可，增加一两个善的分子，不能够使社会变为善良；除去一两个恶的分子，也不能够使社会变为不恶。

反之，在善良社会里面，天资中等的人都能勉力为善；在恶社会里面，天资很高的人也往往习于作恶。譬如我们现在生存在这资本制度之下，无论如何道德高尚的人，他的生活能够不受资本主义支配吗？社会差不多是个人的模型，个人在社会里，方圆大小都随着模型变，所以我敢说如果社会不善，而个人能够独善，乃是欺人的话。

我所以反复说明社会支配个人的力量比个人支配社会的力量大，并不是主张个人只要跟着社会走不需努力；不过在教育方面着想,我们既然不能否认社会的力量比个人大,我们便应当知道改革教育的注重点在社会不在个人了。因为人类的精力不可滥用,必须用得很经济;比方用十分精力去注重社会得十分效力,如注重个人不过得两三分效力,就是能得七八分效力,我们的精力也用得不经济了。精力用得不经济,减少教育的效力,这是旧教育个人主义的第一个缺点。

　　旧教育个人主义的第二个缺点,就是减少训练的效力。从实际经验上看起来:(1)可见之于家庭教师的成绩,在家庭教师之下受教育的儿童,学科上或较优于学校的儿童,然对于社会的知识及秩序与公共观念之训练完全义乏,最好的结果不过养成一个文弱的乖僻不解事的书痴。(2)可见之于学校儿童的成绩,我们往往看见小学生在学校受训练时,颇为活泼、守秩序、能合群,一入家庭社会,即与学校环境相反,在学校所受短时间的训练遂不发生效力。(3)可见之于专门以上学生之成绩,我知道有许多学生,在学校读书时,品行很纯洁,志趣很高尚,很是一个有希望的青年,一旦出了学校,入了社会,马上就变成一个胸中无主的人,在社会里混久了,会变成一个毫无希望的恶人。这都因为个人主义的教育把教育与社会分离了,社会自社会,教育自教育,致使训练失了效力。

　　旧教育个人主义的第三个缺点,就是减少学术应用的效力。教育本是必需品不是侈奢品,个人主义的旧教育把教育与社会分为两件事,社会自社会,教育自教育,学生在社会中成了一种特殊阶级,学校在社会中成了一种特殊事业,社会上一般人眼中的学生学校,都是一种奢侈品装饰品,不是他们生活所必需的东西。此种弊病,社会固应该负责任,而教育家至少也要负一半责任。农学生只知道读讲义,未曾种一亩地给农民看;工学生只知道在讲堂上画图，未曾在机械上应用化学上供给实业界的需要；学矿物的记了许多外国名词，见了本地的动植物茫然不解；学经济学的懂得一些理论，抄下一些外国经济的统计，对于本地的经济状况毫无所知；像这等离开社会的教育，是不是减少学术应用的效力？因此社会上不感得教育之需要，不相信教育，教育家是不是应该负责任？救济这个弊病，唯有把社会与教育打成一片，一切教育都建设在社会的需要上面，不建设在造成个人的伟大的上面；无论设立农工何项学校以及农工学校何种科目，都必须适应学校所在地社会的需要以及产业交通原料各种状况。

即以广东教育论，广州附近丝业颇盛，即应设立蚕桑学校；潮惠富于海物及渔业，即应设立水产学校；北江多森林，即应设立森林学校。倘然把森林学校设在惠潮沿海地方，水产学校设在北江，那便违反了社会需要的原则，减少学术应用的效力了。

第四个缺点就是旧的个人主义教育减少文化普及的效力。古时"纯粹的个人主义"之教育，不但是贵族的，而且是神秘的；一般著书立说的学者文人，务以藏之名山传诸后世造成个人名誉为目的，专以玄秘难解为高贵，通俗易解为浅陋。现时有许多学问很好的留学生不肯著书译书恐怕坏了自己的名誉，正是承受了这种古代文人的陋习。

现代"学校的个人主义"之教育，仍然不脱贵族的神秘的旧习惯；此种旧习惯的精神，完全可以由学校门首挂的"学校重地闲人免进"的虎头牌表示出来。新教育对于一切学校的观念，都是为社会设立的，不是仅仅为一部分学生设立的；自大学以至幼稚园，凡属图书馆试验场博物院都应该公开，使社会上人人都能够享用；必如此才能够将教育与社会打成一片；必如此才能够使社会就是一个大的学校，学校就是一个小的社会；必如此才能够造成社会化的学校，学校化的社会。现在各学校门首大书特书的"学校重地闲人免进"，明明白白地是要把学校与社会截为两段，明明白白地是"学校的个人主义"，明明白白地是教育界的闭关主义，这种教育减少了文化普及的效力，也是明明白白的事。

以下再就教授方法下点批评，也可以看出新旧教育的根本不同及其好歹：

现在欧、美教育界有几句很流行的话：前代的教育是先生教学生，现代的教育是学生教先生；这话初听很觉奇怪，其实大有道理，是教训式的教授法和启发式的教授法不同的界说，是新教育的精神所在，现在在座各位不是教师就是师范生及热心教育的人，关于这点很望诸君注意！

医生诊病，必须详察病人的病状病源才能开方，服药后的经过状况也是一毫都不能忽略的；若只凭主观的想像，补药多吃，不但不能治病，恐怕还要杀人哩。哺养小儿也是这样，依照大人的意思来哺养小儿是不成的，全靠检查小儿的体温、血液需要、消化机能，来做大人的指导；并且大人在此指导之下学得许多实际的知识，好过从书本上得来的。先生可以从学生得到许多经验、知识，且必须从学生学得充分的经验、知识才能够教学生，也和医生诊病大人哺养小儿一样。

旧教育是教学生应当如何如何，不应当如何如何，完全是教训的意味，不问学生理会不理会，总是这样教训下去，这正是先生教学生。新教育是要研究学生何以如何如何，何以不如何如何，怎样才能够使学生如何如何，怎样才能够使学生不如何如何，完全是启发的意味，是很要虚心去研究儿童心理，注重受教育者之反应；譬如在实验室试验理化，用什么方法，得什么反应，全靠对象的反应教我们知识；若试验者不注意反应，全凭主观的理想妄下方法，不但徒劳无功，而且在化学的试验上还要发生危险；启发式的新教育也是这样，事事需由学生之反应供给先生教授法之知识，这不是学生教先生吗？

教训式的教授法和启发式的教授法之不同及好歹，大概我们可以明白的了。

但我不是说中国的古代的教授方法一概都是教训式的，旧的；不是说欧美各国的现代的教授方法一概都是启发式的，新的。中国古代教授方法也有是启发的，例如孔子答弟子问孝问仁没有一个相同，这不是他滑头，也不是他胸无定见，正是他因材利导启发式的教授方法。现代欧美各国的教育也还是教训式的居多；就是实验心理学新教授法最发达的美国，杜威式纯粹的启发教授法也只有一部分人在那里试办。所以新旧教育的区别，只是采取的主义和方法不同，并不是空间（国界）或时间（时代）的不同。

杜威先生曾说，中国的教育比日本更有希望，因为中国的教育方才着手，可以采用最新的方法，不像日本的教育制度已凝固不易改用新法。杜威先生这话是中国主持教育的人都应该十分注意的！按照新的教授方法，我们学校里有许多学科要大加改革：

（一）伦理。伦理这科是教人应当如何如何，不应当如何如何，完全是教训式教育的代表，完全是没有效果的。人冷了才知道穿衣的必要，饿了才知道吃饭的必要，他若不觉得冷和饿，我们无论如何花言巧语劝他去穿衣吃饭，都完全是没有效果的。教训式的伦理科应该废除，在游戏体操以及对人接物时，采用实际的训练方法，使儿童感觉道德之必要，使儿童道德的本能渐渐发展，这才真是伦理教育。

（二）历史。历史教员拿着一本历史教科书，走上讲台，口中念念有词，什么蚩尤、黄帝、唐尧、虞舜、夏、商、周，小学生听了，真莫名其妙；唯有死记几个名词，备先生考问，毫无益处，毫无趣味；还不若叫他们去看戏，指着那个红花脸是黄帝那个黑花脸是蚩尤，他们倒还有点兴趣。所以历史一科在小学校应该废去；就是教历史，也只可以教最小范围的乡土史，不应该教国史。

（三）地理。天天向小学生说什么伦敦巴黎柏林北京青海，他们懂得是什么？所以小学校只能教乡土地理，而乡土地理的第一课，就应该从本校讲堂教起，一间讲堂内有几许长、几许阔、几许高、几个窗，有些什么东西，这都是最好的材料最好的教法。因为发展小儿观物推理力的程序，只能够由已知推到未知，很难有凭空超越的机会；学生在学校得了讲堂的长短高低实际的观察方法，他们一出学校，便会自己推广到沿途所见及他们家里房屋的状况。这种实际观察的教授方法，比教学生死读教科书怎么样？比教学生死记一些无从养成小儿实际观察力的地名怎么样？

（四）理科。理科各科目不用说更是要注重实物经验的了，但是小学的理科还要注重乡土的教材，各省的物产不同，各省小学的教材便不能一样。譬如在广州教理科，说到冰雪这两件东西，我就不知道那位先生怎样能够解释得明白。广州有二十多年没下雪，香港有活着八十几岁没见过雪的人说雪像玻璃一样，大人尚且冰雪不分，何况小儿；先生若被学生质问怎样叫做冰，怎样叫做雪，我想那位先生除了叫学生牢记着冰雪两个字不必问，或是令学生快去睡觉以外，恐怕没有第三个方法来圆满答复。

（五）图画手工。我见过许多学校陈列出好些很精致的手工和图画的成绩品,装潢学校的门面;内中有些教员代学生做成骗人的固然不值得批评,就真是学生自己做的,在外行看起来,必以为成绩很好,在懂得教育的人看起来,便不敢恭维了。因为教育品和美术品有很大的分别,我们不当把教育品看做美术品,若是教育品做成了美术品,便算是手工图画的教育大失败,还说什么成绩呢?因为教育儿童直接的目的,不是马上要教他成一个圣贤学者,所以不用教伦理道德及历史地理等知识;也不是马上要教他成一个艺术家,所以不用教他习美术品的手工图画;教育儿童直接的目的,是要寻种种机会,用种种方法,训练儿童心身各种感官,使他各种器官及观察力创造力想像力道德情感等本能渐渐的自由生长发育。游戏体操手工图画正是用作生长发育这些本能的工具,所以小学的游戏体操不专是发育体力的,兼且是发育各种器官肢体之感觉神经及运动神经反应的本能和道德情感的;所以小学的手工图画不是教成艺术家的,是用他发育儿童观察力创造力想像力的。因为手工图画的目的专在发育观察力创造力想像力,最好是听凭儿童喜欢做什么做什么,喜欢画什么画什么,使他观察创造想象的天才得以自由发展。若由先生的意思教他造成美术品,只算是先生自己的成绩,与儿童教育无关,这种教育可以叫做"填谱的"教育;一切"填谱的"教育都适以限制受教育者的知识自由活动而使其固定,且造成机械的盲从的习惯,戕贼人类最可贵的创造天才,不单是在手工图画教育如此。

(六)唱歌。唱歌是发育儿童美的感想;合唱比单唱好听,可以养成儿童共同协作的精神;按节拍比不按节拍好听,可以养成儿童遵守规律的习惯。唯选用歌词不可文雅,哥哥妹妹,小猫小狗,树著花,蝴蝶飞,这些眼前事象都是歌词的好材料。现在有许多小学的唱歌中，填满了国家人群社会互助平等自由博爱牺牲种种抽象名词，这班人对于小学教育完全是门外汉，完全是迷信教训式的教育之结果。

由以上的讨论我们可以看出新教育的两个特点：

（一）新教育的主义和方法都和旧教育完全不同；

（二）新教育的效力大过旧教育。

（第八卷第六号，一九二一年四月一日）

儿童公育(通信)

杨钟健

记者足下：

我这篇通信，是对于《新青年》六卷六号《儿童公育》一篇论文，发表一点意见。

《儿童公育》这篇文章，我读了第一遍很高兴，很相信这是解决新世界一切问题的锁钥。不过我仔细研究了一遍，我便有些怀疑了，我不能不质问。

主张儿童公育的理由，我很赞成的。儿童公育的方法，也很完美的。并且我也很相信以后总有儿童公育实现的一天。不过我根本见解和沈先生不同的地方，是沈先生以为要解决社会上一切问题，非先儿童公育不可。儿童公育，方可以打破家族制度方可以实行妇女解放……我以为儿童公育是妇女问题，家庭问题……解决后的成绩。换句话，就是：先有各种的革新运动，才可以实行儿童公育，否则万难实现的。

我相信世界的进化，是演进的，而今世上这些文明，都不是忽然来的，是经过几千年的历史才有今日的成绩。

民治主义是而今人人说好的，但也是由部落、封建、专制……渐渐到了现在。而今的民主政治，只可算政治上几千年来，渐渐蜕化的成绩罢了。不能凭空说在某时代要以民治主义解决政治上一切问题的。我想儿童公育也如此一样,我们人类的历史,当初妇女何尝莫解放?

只因一天一天的受了经济的逼迫,和社会上一切环境的支配,直到现在悲惨的时候。现在经济的状况,和一切社会上的环境,都大变了,自然渐渐地可到快活的理想的未来世界。我很相信而今经济这样的变迁,社会革新运动这样的进步,那人的一切环境一天一天的光明了,人类的文明也自然随着进步。到了那时,沈先生主张的儿童公育是一种必要的制度,自然会产出的。所以我说儿童公育,是革新运动的唯一产物,唯一成绩。

若谓儿童公育实行,就可解决一切问题,这话我很怀疑。我想这样做去,不但不能收良好的效果,或者可使革新运动的速率减少,甚且"演出"社会上骚动的惨相。

还有顶困难的,就是即使沈先生的主张可以实行,用来试办解决一切问题。但向我国内一看,有没有实行这种组织的程度?有没有实行的能力?沈先生所说儿童公育的种种组织,我国现在有没有这些人才?所说的儿童公育的经费?试问:中国大多数儿童的父母,有没有担负这经费的能力和程度?所以我就退一步,承认了沈先生的主张,我可不能再退一步取消我的疑问的;就是这种有组织的制度绝不能施行到这等纷乱的国家,这等污浊的社会,这样知识相差太远之一般儿童的父母。

所以沈先生以为,用儿童来解决旁的问题。我看儿童公育的先决问题,是妇女解放,是家庭改造,而最要紧的是国民的知识相差不宜太远。

沈先生那篇文章,是就理论上的研究。我对于沈先生主张的怀疑，是从事实上着想。我不知沈先生对于儿童公育这事，有没有实行的毅力和计划？若有计划，能不能收完到美的效果？

因为我有以上说过的观念，所以我对于一切激进的个体的及一切革新主张，总免不了怀疑。近来有好几种报纸，都发表过"新村生活"的组织。我对此也有同样的怀疑。而今这种学说已经发生许久了，除了几篇文章以外，何以没有很大的影响？反过说来，近来文化的革新和九月来的排日运动，何以收效很快进步很速？这都是一个从事实上着想，一个只从理论上研究的缘故。

我对于革新运动，很惭愧没有精辟主张发表，这由于我的功课太忙了，也由于我的知识太少了。但我近日对于家庭的改造作了一文名叫《怎样改造中国式的家庭》预备在《新潮》上发表。大旨是希望我们革新的人要从事实上着想，对症下药，怎样可以解决这个问题，那个问题……而今沈先生提出这些问题解决后的成果产物，未免令我怀疑。

我这通信太长了，我的要紧的意见是：

（一）我说"儿童公育，是各种革新运动成功后的自然趋势，自然的产物"这见解错不错？

（二）如果我的见解对着哩，那么我的疑问少点了！若是我的意见完全错了，我又提出以下的疑问：

1. 中国现在配不配实行儿童公育？沈先生能观察到实行后使社会秩序不至纷乱，并且很有把握吗？

2. 怎样马上就可以把母子间天然的爱感打消，实行儿童公育？

3. 沈先生儿童公育的主要宗旨在解决沈先生所谓"四级法"的第四点"妇人问题最难解决之点，在于生育之后"。

我按沈先生本意怕是因妇女生育不便，于职业，交际……有碍,所以必须儿童公育。但我想就是实行儿童公育,有孕的妇人,还免不了进沈先生所拟组织的"胎儿所""收生所"……这不是还免不了妨碍职业交际……吗?

这不过是我的三个大疑问,如果我说(一)的问题解决,这儿童公育应讨论的问题还多,只好以后再谈吧!

我是一个正求学问的学生,对于一切问题,见解一定容易错误。我却不敢自弃,只有请教。这是我要请沈先生和《新青年》诸先生的原谅的!

杨钟健上

(第八卷第一号,一九二〇年九月一日)

工人教育问题(通信)

知 耻 独 秀

独秀先生：

　　读八卷一号《新青年》，知道先生对于我的意见还有误解之处，现在再略加说明如下：劳工问题之解决，不是一朝一夕所能成功，所以我虽没有"神通"使他们立刻受平等的教育，但是我的意见仍希望一般热心劳工问题的人，以全副精神注重工人教育这一点，因为我身居工厂，实在觉得一般工人知识的饥荒，比无论什么痛苦都要深一些。他们肚饥知道要食，身上寒冷知道添衣，唯有没有知识的痛苦他们完全不觉得，所以若不想法增加他们一些知识，即使先生们天天为劳工问题做文章，还是不中用，于他们身上还是不能发生效力。如此情形，试问先生有何方法可以解决劳工问题。

　　先生最质疑于我的，以为是"拿教育这句话来搪塞好做加工资减时间的障碍"，我不能不说这是先生的武断。我三次通信俱在，明明主张减少工作时间增加工资与先生无异，但不以此二事——减时增资——为满足，力主实施工人补习教育及储蓄与减时增资同时实行，所以免工人耗费时间金钱及习于游惰之弊，而谋增进改善工人之地位。即使他们的知识能力经济能力逐渐增进，成为工厂股东之一分子，股东即是劳工，劳工即是股东，这就是我的希望，不知先生何以看不明白。至于如何入手，我们都是"人"，没有"神通"，只好于就所能去做就是了。

一九二〇年九月八日　知耻白

先生也主张要加工资减时间，那便好极了；先生又主张不以减时增资为满足，更力主实施教育，那便更好极了。但先生是主张拿教育做减时增资的条件，我以为减时增资是工人应得权利，若加上条件便是搪塞的话。我主张拿减时增资做教育的条件，先生以为怎么样？每日做工十二点钟，上海现在的生活必需品这样昂贵，每月只有十元八元的工资，试问先生若处到这种境遇，哪里会有时间力量去受教育，哪里会感觉没有知识的痛苦？人类生活的欲望是由物质的进到精神的，断没有丢开物质的便进到精神的。饥寒救死不暇的人还说什么知识不知识！先生自己说是主张减时增资的，说我"还有误解之处"先生说我"武断"；先生说"三次通信俱在"现在把屡次通信里关于主要争点的话录在后面，请先生及读者诸君大家看看是不是我误解，武断。

先生第一次信上说：

"总之工人缺乏知识，非注重工人教育，则减少工作时间，增加工资，适足以资其为恶。"

先生第二次信上说：

"若对于无知识之工人实行增给工资，减少时间，而不谋增进工人知识，则于社会于工人均无益而有害。"

先生第三次信上说：

"仆深信教育平等为人类平等之唯一基础，欲求人类平等之实现，而不以教育为基础，虽以多财与工人，亦难有善良之结果。"

先生这次信上说：

"所以我虽没有神通使他们立刻受平等的教育……"把四次信上的话综合起来,先生是竖了一块教育平等的大招牌,随即自认没有神通使它实现,这便是只有招牌而无货卖了;但是先生一方面又力说没有教育是不能减时增资的,那么,先生所主张的减时增资,在逻辑上是不是已经自己取消了呢？换句话说,就是：先生明明晓得教育是不容易实现的,然而偏要拿它来做减时增资的条件,这不是拿句空话来搪塞好做减时增资的障碍是什么？

独　秀

（第八卷第二号,一九二〇年十月一日）

马克思的家庭教育

季　子

　　前在德国所计划的《马克思——其生平其著作及其学说》一书,上编久已草成(约五十万言)。去年因游历东欧,今年因任学校教课,未能早日将其誊正付印。今特于课余将草稿略加整理,择要在《新青年》上发表。预计三个月后,上编第一册即可付印。这里便是这部书的第一篇第一章——《家庭教育》。

作者识

　　"人类的意识并不决定他们的生存,反之,他们在社会中的生存却决定他们的意识。"这句名言是本书主人卡·尔马克思于出世四十年后在他著的《政治经济学批评》(*Zur Kritik der Politischen Öekonomie*)序言(见原书第八版序言五五页)中说出来的。我们相信他这句话是真理,因此,我们替他作传,首先要说明他出世前后的社会状况和环境。

　　自十八世纪中叶至十九世纪初期,代表欧洲最新文化的英、法、德三大国发生三大革命,即英国的产业革命、法国的政治革命和德国的哲学革命。马克思承受这三大革命的精华,融会贯通,造成马克思主义,这不是一桩偶然的事。因为在他产生的莱因省,当时就是这三大革命潮流的交叉点。

莱因省位于德意志的西部,有德国最美丽和最大的莱因河纵贯其中,交通便利,物产丰富,一端隔比、荷两国而遥遥与英国相望(自一八一七年起,即有汽船往来伦敦),一端与法国毗连,故德意志容易感受英、法两国文化的地方,当以莱因省为第一。此地自十八世纪末年起,受法国大革命的影响至二十年之久;到了十九世纪初年,莱因省的一部分且受拿破仑(Napoléon Bonaparte)间接的统治,盛行一种法国化,至一八一五年全省才归入普鲁士统治之下。当十九世纪初叶,发源于英国的资本主义的纺织工业在此地正开始萌芽,新兴的资产阶级很富于反抗封建制度的革命精神,而无产阶级也因工业的发轫,跟着出现了。又自一八一八年起,有邦恩(Bonn)大学出现,所以莱因省对于德国伟大的学术思潮也有接受的机关了。总之,莱因省在当时的德国,几乎无论在任何方面,要算是首屈一指,特别是它的工业的发达(比较的)、政治的进步、维新的气象和革命的精神,为全国之冠。

可是马克思要于不知不觉之间,感受上述三种伟大的潮流,当在年纪稍长的时候;在他幼年,还没有直接与此等环境接触,还处于另一种环境中。他是一八一八年五月五日在德国莱因省居利(Trier,按:此地在前又名居列夫——Treves)产生的。居利为德国最古的城市之一,曾为古罗马帝王游息之所,自中世纪至法国大革命时,复为神圣罗马帝国大教主兼德意志选帝侯的住在所,又为天主教牧师大学的区域,所以此处有罗马皇宫和圆形剧场的遗迹,有黑门(Portanigra)的伟大纪念物,并且有罗马时代和菝特(Gothie)时代的礼拜堂。列文多尔之(Reugen Lewin-Dorsch)谓此等古迹"使这个活泼的孩子,感觉灵敏的心神,获益匪浅,使他的思想已经很早地注射到世界史上的对象"（见《钟声周刊》第九年度第一卷三四五页，列氏作的《马克思家庭与家谱》一文——*Die Glock Familie und Stammbaum Von Karl Marx*），这是不错的。当马克思出生的一年，居利有居民一万一千四百，这还算是一个中等的城市了。

关于马克思出生前后的社会状况和环境，已如上所述。我们现在再讲他的家世。他出身于犹太人的家庭，据维也纳图书馆员瓦哈斯台（Wachstain）博士的考据，远溯他的祖先至十五世纪初叶（参看《钟声周刊》第九年度第一卷三四〇页至三四二页），他们世代相传，均为犹太法律博士（Rabbi）和学者。一直到他的父亲海恩利系马克思犹守此业。原来在犹太教解放以前，犹太教社对于犹太人中的民事大部分自有其法律和裁判，因此，需要娴于犹太法律的学者，马克思的祖先世习此业，当是应这种需要而起的。马克思说："一切过去世代的遗传，像阿卑山（Alps）一样压在活人的头脑上。"（见马克思著的《路易·拿破仑的二月十八日》第七页，一九二一年出版，*Der Achtzehnue Brumaire des Bonapart, Stuttgart.*）马克思生平观察事物，精细透彻，无以复加，这是由于他出身于这种"精神贵族"（引列文多尔之语，见《钟声周刊》第九年度第一卷三四四页），有这样久的精细分析法律的世代遗传性，这一点我们是不当轻轻看过的。

海恩利系马克思夫妇虽属犹太种族，然他们却不为犹太人一脉相传的旧习或成见所拘束，当卡尔六岁的时候（一八二四年），他们舍弃犹太教而改奉基督新教。世人因此误传他们的改教是出于普鲁士政府强迫一切担任公家职务的犹太人舍弃犹太教，否则解除职务的命令。但据墨尔林的考证，此说毫无根据，他们此举完全是出于自由意志的。（参看墨氏校的《马克思与昂格斯文汇》一卷第三至四页）居利本是天主教盛行的城市，至于基督新教并不占势力，"当一八一六年的时候，此处才有三百个教徒，一直到一八一九年，还没有自己的教堂"。（见《钟声周刊》第九年度一卷三四五页）然海恩利系马克思夫妇不信盛行全市的旧教，而偏信没有势力的新教，可见他们的改教是确有主宰，并不是随波逐流的。

马克思说："宗教是人民的鸦片。"（见《马克思与昂格斯文汇》一卷三八五页）宗教本是一种麻醉人心的催眠药。自反对宗教和不信宗教的人看来，他的父母由犹太教改奉基督教，并没有脱去迷信的圈套，这至多也不过是五十步与百步的比较，哪里值得我们大书特书？其实不然，他们此举对于卡尔精神上的发达是很关重要的。德国著名的社会主义诗人汉讷（Heinrich Heine）也和卡尔一样是犹太人的儿子，他的出生比卡尔早二十一年，可是他改奉基督教却比卡尔迟一年（一八二五年），他称那种受基督教洗礼的券是一张"欧洲文化入门券"（Eeintrittasahein Zur europaischen Kultur）。卡尔后来研究欧洲各国的学术，成为一个自由思想家，全是由于他从小时起受了他们父母之赐，得脱去犹太教一切深痼巨蔽的成见，全是由于他预先获得一张"欧洲文化入门券"。所以关于他的父母改教一事，并不像脱尼斯所说的一样："在表面上是很有意义的，在里面是很少意义的。"（见脱氏《马克思传及其学说》第三页）

卡尔生长于一个具有高深教育和处境丰裕的美满的家庭中，他幼时的景状是很优美的。关于他幼年的经过情形，虽很少表见于世，然就曾经留下来的一鳞半爪看来，他所受的家庭教育是普通的中等家庭儿童所梦想不到的。他秉性刚强勇猛，沉毅果敢，并且聪颖绝伦，当他到了能读书识字的时候，他的父亲即尽心竭力教他读书，后来并授以德、法名人关于哲学和历史等等的著作。他对于所教的东西很容易了解和领悟，因此特别为他的父母所钟爱。他的父亲看见他具有一种天才和优美的性质，对他便抱有无限的希望，断定他将来当为人类造幸福。同时他的母亲则相信他将来必定得到好处，必定是诸事如意，所以常呼他为"幸运儿"（Ein glückskind）。我们看他此后一生的努力毕竟是为人类谋幸福，而他的遭遇也是一个"幸运儿"应有的遭遇（指他得到绝无仅有的妻子和朋友等事），果然像他的父母所期望的了。

卡尔小时从他的父亲受得德、法优美的教育，这已经不是寻常儿童所能希冀的，然我们所谓"家庭教育"，还不止此。居利尚住有一家贵族，与马家为比邻，家主为威斯特华伦男爵（Baron Ludwig von Westphalen）。他于一八一六年才迁居此地，来就居利政府顾问之职。他到居利后，与海恩利系马克思成为很好的朋友，因此卡尔自小时起即出入他的家中，与他的小女儿燕妮（Johanna Bertna Tuliu Tenny vun Weslphalen）共同嬉戏。威斯特华伦擅长希腊和英国的诗歌戏曲，他常以希腊最著名的诗人荷马（Homer 生于纪元前九百年）的叙事诗和英国最大的戏剧家莎氏比亚（Shakespeare）的戏曲教卡尔和他的女儿等等。卡尔的资质非常聪颖，所以威斯特华伦非常爱他，并且乐于教训他。他在此处所受的教育，又是他的家庭中所没有的。墨尔林谓"幼年时代的马克思在这位自由思想官吏的家中找着一个第二家庭"（见墨氏《德国社会民主党史》第一卷二〇八页，一九二一年第十一版），这是丝毫不错的。

卡尔的家庭教育即是合德、法、英、希等国著名学者的作品而成的，所以他幼年的学业已大有可观；他以后做学问，所涉的范围非常之广，这是因为他的家庭教育预先替他安下一种坚固不拔的、宽广的基础，所以他能够造成宏大的建筑物。概括说起来，他从他的父亲所受的教育，是偏于哲学一方面的，因此，引起他后来研究哲学的兴味；他从威斯特华伦男爵所受的教育，是偏于文学一方面的，因此，引起他后来嗜好诗歌、戏曲，要做诗人的念头，他并且对于荷马和莎氏比亚的著作，是终身向往，不时诵读的。

卡尔幼时在教育上即获得他的父亲和威斯特华伦男爵绝大的益处，所以他对于他们两人是特别感恩，终身不忘的。关于他不忘父恩一事，我们可以从他的女儿伊利安乐的一段话中看出来："他（指卡尔·马克思）讲他的父亲的事，从来不觉得疲倦，他把他父亲的相片放在身上……当马克思于他的妻子死后，作长途的悲惨旅行，去恢复他已经丧失的康健之际——因为他要完成他的著作——他仍以他父亲这个相片和我母亲一个玻璃制的旧相片（装在盒子里面）及我姐姐'小'燕妮一个相片自随，我们于他死后，在他的胸前衣袋中发见这些相片。昂格斯将这些相片放在他的棺材里面。"（见《新时代杂志》第十六年度一卷第五页）至于马克思对于威斯特华伦，也有一种特别的表示。当他在大学毕业的时候，他草就一本数百页的论文誊正预备付印，他在卷首题名篇上大书特书"'敬献此书'于亲爱如父亲的居利政府顾问威斯特华伦先生，借志子侄之爱"（参看《马克思与昂格斯文汇》第一卷六三页）等字，由此可见他敬爱威氏是至深且切了。

（第四号，一九二六年五月二十五日）